De verdwenen
diamanten

Ander werk van Karlijn Stoffels

Mosje en Reizele (1996) Gouden Zoen 1997
Marokko aan de Plas (2002)
Foead en de vliegende badmat (2004)
Jenny Smelik-IBBY-prijs 2006
Koningsdochter, zeemanslief (2005)
Vrederik, het dappere soldaatje (2007)
Het geheim van het gestolen grafbeeld (2007)

Karlijn
Stoffels *De verdwenen*
diamanten

Amsterdam · Antwerpen
Em. Querido's Uitgeverij BV
2008

www.queridokind.nl
www.karlijnstoffels.com

STICHTING NEDERLANDSE
KINDERJURY
2009

Omslagillustratie Georgien Overwater
Omslagontwerp Pauline Hoogweg

ISBN 978 90 451 0652 6 / NUR 283

'Wat gaan we vandaag doen?' vroeg Peter bij het ontbijt. Hij nam een hap van zijn boterham en keek uit het raam.

Het was lente. In de binnentuin van Huize Boegbeeld bloeiden de narcissen.

In de weekends bleven er maar vier kinderen in het internaat achter: Peter, Josie, Moerad en Yoe Lan. De anderen gingen naar huis of naar een gastgezin. Daarom zaten de overblijvers samen in één tafelgroepje. Dat had Roeland, de huisvader, bedacht.

'Ik weet wel wat Moerad vandaag gaat doen,' zei Josie.

'Babban?' vroeg Moerad met zijn mond vol. Hij kauwde en slikte. 'Wat dan, bedoel ik.'

Josie keek vol walging naar de toren van brood en ontbijtkoek die Moerad stevig had vastgemetseld met honing en pindakaas. 'Met buikpijn in je bed liggen,' zei ze.

'Heb jij al plannen, Yoe Lan?' vroeg Peter.

'Ik ga met Woelf fietsen. Hij moet beter leren om los naast me te lopen. Dat is moeilijk voor een hond. Hij loopt steeds weg, de berm in.'

'Los is beter dan aan de lijn,' zei Josie. 'Want dan loopt hij je voor de wielen.'

'Ze leert het hem wel,' zei Moerad, 'Yoe Lan heeft

5

verstand van honden.'

'Ik hou van alle dieren,' zei Yoe Lan verlegen.

In het internaat mochten de kinderen geen dieren houden. Maar Yoe Lan had Woelf eerlijk gevonden. Hij zat in een hok op het erf van een boerderij. Huize Boegbeeld lag aan de buitenkant van de stad, aan de rand van de polder.

Het was een zwarte herder, nog heel jong, en behoorlijk vals. Yoe Lan had hem een paar keer per week een lekkere kluif gebracht en net zolang met hem gepraat tot hij tam was. Nu mocht ze van de boer zoveel met Woelf wandelen als ze wilde.

De anderen hadden ook vriendschap met de hond gesloten en dat was maar goed ook. Want Woelf beschermde hen alle vier als ze op avontuur waren. En daarom hadden ze hun clubje 'de Bende van de Zwarte Hond' genoemd.

'Zullen we met Yoe Lan meegaan?' vroeg Josie. 'We kunnen kijken of Woelf naar de spaken hapt. Dan valt ze om!'

'Wat ben je weer leuk vandaag,' zei Peter.

'Nee, jij bent gezellig,' zei Josie. 'Mist Petertje zijn mammie?'

Peter gaf geen antwoord. Zijn moeder zat op de Canarische Eilanden voor een fotoshoot. Ze was een veelgevraagd model. Soms zag hij haar een paar maanden niet in levenden lijve, alleen op de cover van een of ander modetijdschrift.

'Wat ga jij vandaag doen, Peter?' vroeg Moerad vlug. 'Zullen we een partijtje voetballen straks?'

Peter haalde zijn schouders op. Het internaat was

6

saai in het weekend. Toen hij nog bij zijn opa woonde vervelde hij zich nooit. Hij was bij hem in huis gekomen omdat zijn moeder steeds voor haar werk naar het buitenland moest. Soms mocht hij met haar mee, maar dat kon alleen in de schoolvakanties.

Het eerste wat zijn opa gedaan had was een grote wereldkaart aan de muur van Peters kamer hangen. Hij had hem ook een doosje punaises gegeven. Het waren geen gewone punaises: op de kop had zijn opa een heel klein fotootje van Shirley geplakt. Telkens als ze in een ver land was prikte Peter een punaise op de juiste plek van de wereldkaart. En daarna hielp zijn opa hem om alles over dat land te weten te komen.

Zo was aardrijkskunde Peters lievelingsvak geworden. En dat was het nog steeds. Maar zijn opa was er niet meer. Die was dood. En nu zat Peter in het internaat en hij durfde de wereldkaart met al die Shirley-punaises niet op zijn kamer te hangen.

Hij keek de tafel rond. Josie zat in haar boterham te prikken. Haar ouders zaten met hun baggerbedrijf in Argentinië. Ze hadden meestal niet eens tijd om te schrijven of te bellen.

Moerads vader was piloot. Die vloog de hele wereld rond. En de vader van Yoe Lan was kok op de grote vaart. Soms zag ze hem een halfjaar niet. Ze miste hem vreselijk. Nee, Peter had geen enkele reden om te zitten kniezen. Shirley had het gewoon te druk om hem te mailen.

'Het lijkt erop dat dit de eerste mooie lentedag wordt,' zei hij zo opgewekt mogelijk. 'Echt een dag voor een fietstochtje.'

'Ja,' zei Josie. 'Ik moet conditie trainen voor judo.'

'Dan halen we Woelf op van de boerderij en dan kan hij los naastlopen!' zei Yoe Lan.

Moerad kreunde. 'Nemen we de voetbal mee?' vroeg hij hoopvol.

'We nemen een picknick mee,' zei Peter. 'Er is vast nog wat koud vlees over van gisteravond, en we kunnen eieren koken voor de vegetariërs en moslims onder ons.'

Moerad schoot overeind en begon de tafel af te ruimen. In het weekend waren de verzorgsters en Kokkie vrij, en de huisvader sliep uit. 'Opschieten!' riep Moerad.

'Jij komt pas in beweging als je "eten" hoort,' zei Josie. 'Kijk maar uit dat je niet dichtgroeit.'

Moerad hield de stapel borden met één hand in de lucht en klopte met de andere op zijn platte buik. 'Ik ben nog vet mager,' zei hij.

Yoe Lan ging vast vooruit om Woelf op te halen.

Josie mocht op zaterdag altijd kijken of er post was. Ze pakte de sleutel van de brievenbus en liep de voordeur uit naar het eind van de oprijlaan.

Er was een heleboel zakelijk uitziende post voor Roel, en er waren ook een paar brieven en kaarten voor pupillen van het internaat, maar er was weer taal noch teken van haar vader en moeder. Josie zuchtte.

Toen ze terugliep zwaaide ze zoals altijd naar het boegbeeld van de zeemeermin, dat boven de voordeur hing. Die kon er tenslotte ook niets aan doen.

Er werd verteld dat Razende Roel, de huisvader, vroeger zeeman was geweest, en dat hij het huis had ingericht om kinderen op te vangen van zijn collega's die op zee waren. Maar Josie geloofde er niets van.

Haar vader had haar leren zeilen toen ze nog op de baggerboot woonde, en ze wist dat je als zeeman enorm handig en precies moest zijn, en moeilijke knopen moest kunnen leggen. De huisvader was een sloddervos die alles uit zijn handen liet vallen, en Josie betwijfelde of hij zijn eigen veters kon vastmaken. Hij liep altijd op ouderwetse leren pantoffels.

Ze legde de post op de gangtafel en ging gauw haar jas halen. De jongens zouden wel klaar zijn met het inpakken van de lunch.

9

Yoe Lan en Woelf stonden al te wachten bij de molen.

Woelf kon echt nog niet los naast de fiets lopen. Hij rende naar voren en opzij en liep ze allemaal voor de wielen. Na een tijdje stapten ze maar af.

'Dat wordt een wandeltocht met picknick,' zei Peter. 'Laten we naar de sluis lopen, over de straatweg.'

Josie wist iets beters. 'Gisteren reed ik langs de oude manege bij de ringvaart, waar ik vroeger paardreed. De manege wordt gesloopt.'

Peter knikte. 'Daar komt een snelweg.'

'Ik zag dat de ruiten van de boerderij zijn ingegooid,' zei Josie. 'Waar de baas van de manege woonde. We kunnen er zo naar binnen en rondkijken.'

'Waarom?' vroeg Moerad.

'Het is daar heel leuk binnen,' zei Josie. 'Er is een grote keuken met allemaal oude tegels en een enorm fornuis, en wafelijzers aan de muur en...'

'O, we gaan wafels bakken!' riep Moerad. 'Had dat dan meteen gezegd!'

Ze zetten hun fietsen op slot tegen een boom en gingen op weg. Het was fris, de zon scheen en de lucht was blauw. Er waren maar weinig wolken.

Het was nog een flink eind lopen naar de ringvaart, en ze moesten langs een drukke weg. Woelf trok ongeduldig aan de riem. Overal waren lekkere luchtjes die hem toeriepen: kom hier snuffelen! Onder op de stam van de bomen zaten geurvlaggetjes, waar andere honden een plasje gedaan hadden om te laten weten dat zij daar geweest waren. *Bello was hier. En Fikkie.* Woelf popelde om ook zo'n bericht achter te laten:

Woelf was hier, met Yoe Lan, maar zij heeft niet geplast en ik wel.

'Woelf, hou op met trekken,' zei Yoe Lan. 'Er zijn hier auto's, dus je mag niet los.'

Woelf jankte even, om duidelijk te maken dat hij helemaal geen auto's zag. Maar toen bleef hij gehoorzaam naast lopen.

'Is het nog ver?' vroeg Moerad. Hij had een hekel aan wandelen.

Josie zuchtte. 'Als je zo zeurt kun je beter naar huis gaan.'

'Daar is de ringvaart!' riep Peter. 'We zijn er, jongens! En wat is het hier heerlijk rustig en st...'

Met een oorverdovend geraas kwam er een motor de ringdijk af rijden. Er zat een man op met een zwarte helm op zijn hoofd. Zijn jas en laarzen waren ook zwart. Hij stopte met gierende banden en kwam dwars over de weg tot stilstand, vlak voor de vier kinderen en hun hond. De motor bleef sputterend lopen.

Woelf gromde, maar Yoe Lan gaf hem een tikje en toen hield hij zijn mond.

'Verboden toegang,' zei de man met de zwarte helm.

'O,' zuchtte Yoe Lan teleurgesteld. Woelf had zo'n zin om los te lopen, en nu moesten ze weer helemaal terug langs die drukke weg.

Peter keek rond. 'Ik zie anders nergens een bord met "verboden toegang",' zei hij.

'Weg wees julle, en bietjie gauw,' zei de man.

Moerad probeerde naar zijn gezicht te kijken, maar de helm was ondoorzichtig, ook op de plaats van de ogen. Aan één kant ondoorzichtig, dacht Moerad, anders zag die man zelf niks.

'Ik denk eigenlijk...' begon Peter.

'Jij moe nie denk nie,' snauwde de motorrijder.

'Wij lopen hier altijd,' zei Peter. 'En niemand heeft ooit gezegd dat het niet mocht. Maar we hebben een goede vriend bij de politie. Die weet vast hoe het zit. Moerad, bel jij Jaap eens even.'

Moerad keek verbaasd. Het was waar dat Jaap bij de politie werkte. Ze hadden hem leren kennen toen ze een gestolen grafbeeld in hun bezit hadden gekregen. Jaap had hen geholpen, en zij hadden hem geholpen met het oppakken van een bende afpersers en mensensmokkelaars. Maar Jaap was inspecteur. Hij hield zich niet bezig met verkeersborden. Toch haalde Moerad zijn telefoon tevoorschijn.

De man in het zwart gromde iets, gaf gas en reed hen voorbij. Toen hij langs Woelf kwam schoot zijn voet uit. Met de punt van zijn laars raakte hij Woelf in de flank. Jankend sprong Woelf opzij.

De man gaf extra gas, reed de weg op en verdween ronkend in de verte.

'Hufter!' riep Josie hem na.

Yoe Lan knielde bij Woelf neer en maakte de riem los. 'Gaat het, Woelf?' vroeg ze. 'Nu mag je lekker los lopen, hoor.'

Woelf begon te kwispelen, maar het was duidelijk dat dat pijn deed. Hij kreunde en kromp in elkaar.

'Wat een gemene vent!' zei Moerad. 'En zag je hoe hij schrok toen Peter "politie" zei?'

'Misschien moeten we Jaap echt bellen,' zei Josie.

12

'Die vent gedroeg zich heel verdacht.'

'Hebben we een signalement?' vroeg Peter.

'Je kon zijn gezicht niet zien,' zei Moerad, 'en op het nummerbord heb ik niet gelet. Het gebeurde allemaal zo ontzettend vlug.'

'Maar wat deed Zwarthelm op de dijk?' vroeg Peter. 'En waarom wilde hij ons daar weg hebben?'

Yoe Lan aaide Woelf over zijn kop en maakte zachte geluidjes in zijn oor. Dat hielp. Woelf ging rechtop zitten en likte haar in haar gezicht. Dat mocht hij niet, maar hij wist donders goed dat Yoe Lan er nu niks van zou zeggen. Hij gaf haar gauw nog een extra lik over haar neus en kwam toen overeind.

'Wat een valse kerel,' zei Yoe Lan.

'Toen Woelf nog vals was en opgesloten zat bracht je hem elke dag een bot,' zei Josie. 'Misschien moet je Zwarthelm ook botten voeren.'

Yoe Lan aaide Woelf zwijgend over zijn kop.

Moerad gaf haar een vriendschappelijke stomp. 'Als je Josie elke dag een bot geeft wordt ze vast ook minder vals.'

Ze gingen weer op weg en klommen de dijk op. Beneden in het weiland stonden al lammetjes. Woelf jankte. Hij had zin om achter schapen aan te rennen en kieviten op te jagen. Maar hij trok een beetje met zijn achterpoot. Hij had al moeite genoeg om de kinderen bij te houden.

Ze liepen een heel eind zonder een woord te zeggen.

Yoe Lan keek telkens ongerust naar Woelf.

Josie liep te mokken. Iedereen vond altijd dat ze

vals was, maar ze maakte gewoon veel grapjes.

Peter probeerde te begrijpen waarom die rotvent hen had tegengehouden.

Moerad vroeg zich af hoe oud je moest zijn om motor te leren rijden. Hij zou aan zijn vader een motor kunnen vragen voor zijn zestiende verjaardag. Of moest je voor de rijlessen ook achttien zijn? Josie zou het vast weten. Ze was dan wel een meisje, maar ze wist meer van machines en van sport en zo dan hij. 'Josie...' begon hij.

Maar Woelf was plotseling blijven staan. Hij gromde zacht en keek omlaag. Zijn haren stonden recht overeind.

Ze keken allemaal naar beneden.

'O, de oude manege!' riep Josie. 'Ik wist niet dat we al zover waren!'

Opeens schoot Woelf naar voren. Hij was zijn pijnlijke poot vergeten, en dat merkte hij te laat. Jankend bleef hij staan.

Yoe Lan riep hem bij zich en deed hem aan de riem. 'Er is daar iemand,' zei ze. 'Of iets.'

'Als het die rotvent maar niet is,' zei Josie. 'Hij kan helemaal omgereden zijn en...'

'Stil eens,' zei Peter. 'Ik dacht dat ik daar wat zag bewegen, bij die rare hutjes.'

'Dat zijn de paardenstallen,' zei Josie. 'En de zadelschuur, de wc's en de kantine, en daarachter...'

'Ja ja,' zei Peter ongeduldig. 'De boerderij. Dat zie ik. Er zijn volgens mij twee mogelijkheden. Of Zwarthelm is teruggekomen, maar dan hadden we hem moeten horen en zien, of hij was op zoek naar iets of iemand en daarom wilde hij ons hier weg hebben.'

'Laten we gaan kijken,' zei Moerad.

'Ik blijf hier,' zei Yoe Lan. 'Ik wil niet dat hij Woelf weer pijn doet.'

'We kunnen Woelf niet missen,' zei Moerad.

'Ik denk niet dat het Zwarthelm is,' zei Peter. Hij keek naar Woelf, die niet meer gromde maar ingespannen probeerde wijs te worden uit alle luchtjes die hij rook. 'En Woelf denkt ook niet dat hij het is.'

Moerad liep voetje voor voetje naar beneden.

'Voorzichtig,' zei Peter. 'En allemaal je mond dichthouden.'

Josie was al onder aan de dijk.

De oude manege was rijp voor de sloop. Van de paardenstallen was niet veel meer overgebleven dan een groep bouwvallige hokken. Sommige waren alleen nog maar een verzameling planken die op een of andere manier rechtop bleven staan en bij elkaar werden gehouden door een golfdak.

De wc's huisden in een bakstenen gebouwtje met gaten in het pannendak en een scheve openhangende deur. Rondom groeide het onkruid manshoog.

Woelf liep er zonder op of om te kijken voorbij. Hij trok Yoe Lan mee, recht op de boerderij af, die ook weer omringd werd door allerlei schuurtjes.

Ze liepen dicht bij elkaar langs de hoefslag, waar vroeger de rijlessen werden gegeven. Het was één grote modderpoel geworden. De omheining stond nog maar op een paar plaatsen overeind.

Woelf kreunde nog een beetje, maar hij trok niet meer met zijn poot. Toen ze vlak bij de boerderij waren begon hij te grommen en met zijn neus langs de grond te lopen.

'Hij ruikt iets,' zei Josie.

'Ik ook,' zei Moerad, 'varkens.'

Ze kwamen langs een kippenren, een groot vervallen hondenhok en een varkenskot.

'Ik vind het hier eng,' fluisterde Yoe Lan. 'Het is net

een oud verlaten spookstadje. Help!!!' Ze sprong achteruit. 'Ww... wat is dat?'

'Retteketet!' Moerad kwam plotseling vanachter een van de schuurtjes tevoorschijn. Hij schoot in de lucht, met een denkbeeldige revolver in elke hand. 'Hands up! Lang leve het wilde Westen!'

Woelf begon als een razende te blaffen en rukte zich los.

'Hou op, Moerad!' zei Josie. 'Je maakt die hond helemaal gek!'

'We zouden zachtjes doen,' mompelde Peter tegen niemand in het bijzonder. Niemand in het bijzonder lette op hem.

Woelf was niet tot bedaren te brengen, maar dat kwam niet door de revolvers van cowboy Moerad. De herder sprong tegen de gammele voordeur van de boerderij op en ging als een dolleman tekeer. Zijn zere poot was hij kennelijk vergeten.

Yoe Lan riep hem bij zich, maar hij kwam niet. Toen ging ze naar hem toe, pakte hem bij de halsband en gaf hem een flinke tik. Woelf jankte even en hield op met blaffen. Ze trok hem mee naar waar de anderen stonden.

'Wat ben jij streng, zeg,' zei Moerad.

'Hij moet gehoorzamen,' zei Yoe Lan. 'Anders is hij straks míjn baasje in plaats van andersom.'

'Leuk!' zei Josie. 'Dan moet jij een halsband om en gaat Woelf met je wandelen!'

'Woelf gromt nog steeds,' merkte Peter op. 'Laten we kijken wat er daarbinnen is.' Hij duwde de deur open.

Er was geen gang of hal achter de voordeur. Ze kwamen meteen in de grote eetkeuken. Maar er stond geen fornuis meer in de schouw, en van de tegelmuur was niet veel over. Iemand had de tegels eraf gebikt. Op de vloer lag hier en daar nog een scherf, dat was alles. Ook de wafelijzers waren weggehaald. Alleen de grote haken zaten nog in de muur.

'Kale boel,' zei Moerad.

Woelf trok nog steeds aan zijn riem; Yoe Lan had moeite hem te houden. Zo ongehoorzaam was hij anders nooit. Ze liepen achter hem aan de lange gang door. Links en rechts waren kamertjes. Ze keken door de openstaande deuren naar binnen. De kamers waren leeg en overal was het behang van de muur gescheurd.

'Niks aan,' mompelde Moerad.

Woelf sprong naar voren.

'Au!' riep Yoe Lan. Ze liet de riem los en wreef over haar handpalm.

Woelf stoof een kamer in aan het eind van de gang. Ze renden achter hem aan.

Tegen de achtermuur van de kamer stond een grote hangkast. Tenminste, die had er gestaan. Iemand had er met een bijl op los geslagen. De deuren waren eruit gevallen en de zijkanten en het achterpaneel waren versplinterd. Hier en daar lagen kleerhangers op het gescheurde tapijt, en de kleding die in de kast had gehangen lag op een grote hoop in een hoek.

En daar, tegen die voddige berg jassen, jurken en broeken, stond Woelf als een bezetene te blaffen.

Yoe Lan was in één sprong bij hem en pakte hem vast. De anderen bleven in de deuropening staan en tuurden het schemerige kamertje in.

Er kwam beweging in de hoop rommel. Eerst kwam er een hand tevoorschijn en toen nog een, en daarna een donker hoofdje met kroezige zwarte staartjes en grote, bange ogen.

'Haal die hond weg,' zei een huilerig stemmetje. 'Ik ben bang voor hem.'

Er kwam een meisje half onder de hoop vodden vandaan. Ze hield haar ogen strak op de grommende hond gericht.

'Neem Woelf maar mee naar buiten,' zei Peter tegen Yoe Lan.

Yoe Lan trok Woelf mee. Ze hoorden haar in de gang op hem mopperen.

Nu pas durfde het meisje tevoorschijn te komen. Ze ging staan en drukte zich angstig tegen de muur. Ze had een veel te dun jurkje aan en aan haar blote voeten zaten slippers. Het was een meisje van een jaar of zes. Ze keek wild om zich heen. Haar ogen schoten van links naar rechts, maar ze kon niet vluchten. De drie kinderen stonden voor de deur.

Yoe Lan kwam terug. 'De hond is weg,' zei ze. 'Ik heb hem vastgemaakt.'

Het meisje bleef angstig kijken.

'Kom,' zei Peter. 'We gaan naar buiten, de zon in. Ga je mee, meisje? We gaan eten.'

'Eten,' zei het kind. Haar gezichtje klaarde een beetje op.

'Eten!' zei Moerad. 'Olé!'

Het meisje keek naar Moerad. Het leek alsof ze even glimlachte.

Het viel nog niet mee een geschikt plekje te vinden voor de picknick. Het gazon voor de boerderij was tamelijk drassig. Erachter was een weiland waar de paarden gegraasd hadden. Ze kropen onder de omheining door.

'Hier is het hoger,' zei Peter, 'en veel droger.'

'Maar wel hobbelig,' zei Josie.

Moerad had zijn rugzak al neergezet. Het kon hem niet schelen of de grond nat was of hobbelig, hij wilde gewoon eten, en gauw ook.

'Nie-iet! Nie-iet!' Een kwade kievit dook omlaag en vloog rakelings langs hun hoofden.

Woelf begon te blaffen en aan zijn riem te trekken.

De kievit kreeg versterking. Nog een woedende vogel vloog krijsend om hen heen.

Ze renden terug naar de omheining.

'Weet je wat ik denk,' zei Moerad toen ze weer bij de boerderij stonden, 'ik denk dat ze ons weg wilden hebben.'

'Net als de motorman,' zei Yoe Lan.

'Misschien heeft Zwarthelm hier ook een nest met eieren,' zei Josie.

Yoe Lan keek haar verbaasd aan. Toen bloosde ze en begon aan Woelfs halsband te frunniken.

Ze liepen terug. Een eindje van de boerderij af vonden ze een tamelijk droog grasveldje. Misschien had er in de zomer een geit gestaan, maar nu zag het gras er schoon uit. Voor de zekerheid gingen ze op hun jassen zitten. Moerad gaf zijn jack aan het meisje.

Ze hadden een tafellaken geleend uit de linnenkast en daar stalden ze al het eten op uit. Ze hadden het koude vlees en de eieren meegenomen en meteen de halve provisiekast leeggehaald.

Het was maar goed dat Kokkie in het weekend vrij was. Uit de rugzakken kwamen een pot jam, pindakaas en sambal, kaas, broodjes, krentenbollen, appels, gevulde koeken en pakjes chocomel.

Het meisje keek niet meer zo bang. Woelf zat op veilige afstand aan een hek vast.

'Ze mag de helft van mijn ei hebben in plaats van het vlees,' zei Moerad. 'Ze ziet er Afrikaans uit. Misschien is ze ook moslim.'

'Een heel half ei,' zei Josie. 'Dat is wel erg gul hoor. Wat dacht je van een kwart ei?'

'Wil je vlees of ei?' vroeg Josie aan het meisje. 'En hoe heet je trouwens?'

'Ei,' zei het meisje.

'Mooie naam,' zei Josie. Ze gaf haar een boterham met het halve ei van Moerad. 'Ik ben Josie. Dit zijn Peter, Yoe Lan en Moerad. En de hond heet Woelf. Hoe heet jij?'

'Amma,' zei het meisje.

'Waarom had je je in de boerderij verstopt?' vroeg Peter.

Amma zei niets. Ze keek naar de grond.

'Ben je helemaal alleen hier gekomen?' vroeg Josie.
Amma gaf geen antwoord.

Het werd ongemakkelijk stil en dus nam iedereen snel een hap van een broodje. De appels bewaarden ze voor later.

'Zo,' zei Moerad, 'en nu ga ik siësta houden.' Hij ging op zijn rug naar de wolken liggen kijken. 'Zie je dat, Amma?' vroeg hij en wees omhoog. 'Een hond.'

Ze gingen allemaal op hun rug liggen en keken omhoog. Een grote witte wolk met lange oren en een grote snuit dreef voorbij.

'Onifant,' zei Amma.

'Je hebt gelijk,' zei Moerad. 'Het is een onifant. En dat daar is een dromedaris.'

'Droom-daar-is,' herhaalde Amma.

Toen heel Artis voorbij was komen zweven ging Peter rechtop zitten. 'We moeten Amma terugbrengen,' zei hij. 'Haar ouders zijn vast heel ongerust.'

'Niet terug,' zei Amma angstig. 'Daar is de man.'

'Wat voor man, Amma?' vroeg Moerad zacht.

Amma zweeg.

'Met een motor?' vroeg Peter. 'Is het een man op een motor, met een zwarte helm op?'

Maar Amma zei niets meer.

Yoe Lan stond op en kwam met Woelf terug.

Amma kroop achteruit.

Josie schudde de poot van Woelf. 'Aangenaam kennis te maken,' zei ze. 'Mijn naam is Josie. Hoe maakt u het, meneer Woelf?'

Amma lachte en stak aarzelend haar hand uit. 'Nu ik,' zei ze. Ze stelde zich netjes aan de hond voor.

'Wat deed je daar in die boerderij, Amma?' vroeg Peter.

'Slapen,' zei Amma.

'Maar waar woon je?' vroeg Josie.

Amma zei niets.

'Waar zijn je vader en moeder?' vroeg Moerad.

Amma begon te huilen.

'Zo komen we niet verder,' zei Peter. 'We gaan naar de politie, er zit niets anders op.'

Bij het woord 'politie' sprong Amma overeind en rende weg. Het ging zo snel dat ze geen van vieren tijd hadden om haar tegen te houden. Yoe Lan greep nog net op tijd Woelf bij zijn halsband.

Peter kwam vliegensvlug overeind, maar toen hij achter Amma aan rende was ze al achter de boerderij verdwenen.

'Die is spoorloos,' zei hij toen hij terugkwam.

'Weet je wat ik denk...' begon Moerad.

'Ik wist niet eens *dat* je denkt,' zei Josie.

'Ik denk dat Amma niet van politie houdt.'

'Ben je zo slim geboren,' vroeg Josie, 'of moet je heel erg je best doen?'

'Word je daar nou nooit moe van, van al dat kiften en bekvechten?' vroeg Peter.

'Ik heb een ijzersterke conditie,' zei Josie. 'Komt van het trainen.'

'Dat komt goed uit,' zei Peter, 'dan ben jij fit genoeg om het eten in te pakken. Wij gaan Amma zoeken.'

'Mij best,' zei Josie. Ze trok het tafellaken met een ruk naar zich toe en begon borden, bekers, potten met jam, pindakaas en sambal en al het eten dat over was er lukraak in te rollen.

'Niet zo,' zei Peter. 'Ik zei "inpakken". Wat er over is moet terug, anders merkt Kokkie dat we de provisiekast geplunderd hebben.'

'Ja baas,' zei Josie.

'Laat Woelf Amma zoeken,' zei Peter tegen Yoe Lan. 'Maar laat hem niet blaffen en hou hem stevig vast, anders wordt Amma nog banger.'

Ze gingen vlug op weg naar de boerderij.

Woelf had het meisje snel gevonden. Hij hield keurig zijn mond en kwispelde alleen maar, terwijl hij omhoogkeek naar het dak van een van de bouwvallige schuurtjes. De kinderen keken ook. Ze zagen nog net een vuil voetje uitsteken achter de schoorsteen.

'Amma!' riep Peter. 'Kom maar!'

Het voetje verdween.

'Geen politie!' riep Peter. 'Erewoord.'

'Dat begrijpt ze niet hoor,' zei Moerad.

'Geen politie, Amma!' riep Peter nog een keer.

Er piepte een staartje tevoorschijn, en toen een heel hoofdje.

'Ze houdt wel van verstoppertje spelen,' zei Moerad. 'Kiekeboe!' riep hij naar boven. 'Buut vrij!'

Amma giechelde. Toen ging ze op haar buik liggen en liet zich omlaag glijden.

'Pas op!' riep Peter, maar ze was al beneden.

'Nou moet je niet meer weglopen, hoor,' zei Moerad. Hij pakte Amma bij haar hand.

Toen ze terug waren op het picknickweitje had Josie alles opgeruimd en in de tassen gestopt. De appels had ze laten liggen.

Ze gingen zitten en aten hun appels op. Het was al lekker warm in de lentezon.

Amma begon te knikkebollen. Haar hoofd zakte op

haar schouder en ze liet de appel uit haar hand vallen.

Moerad legde haar languit op zijn jack en bedekte haar met zijn sjaal.

'Wat een zorgzaam vadertje,' zei Josie.

'Als je slaapt word je koud,' zei Moerad alleen maar.

'Kom Woelf,' zei Yoe Lan. Ze klopte op de grond naast Amma. Woelf ging naast het kleine meisje liggen.

'Honden zijn net kacheltjes,' zei Yoe Lan. Ze ging met haar hoofd op Woelfs rug liggen en deed ook haar ogen dicht.

'Wat nu?' vroeg Peter.

Peter, Josie en Moerad zaten zwijgend bij elkaar en probeerden een antwoord te vinden op die vraag.

'Weet je,' zei Moerad na een tijdje, 'het zal wel onzin zijn wat ik denk...'

'Waarschijnlijk wel,' zei Josie.

'Er werd toch een meisje vermist?' zei Moerad. 'Dat was op Stadsteevee. Een Ghanees meisje, een weeskind, en ze is weggehaald bij een pleeggezin. Door de politie.'

'Er zijn zoveel meisjes,' zei Josie. 'Je weet niet of Amma uit Ghana komt.'

'Is ze door de politie weggehaald?' vroeg Peter. 'Amma is erg bang voor de politie.'

'Dat zou ik ook zijn,' zei Josie, 'als ik een boerderij gekraakt had.'

'Heb je een beter idee?' vroeg Peter. 'Ik heb nog niks gehoord.'

Josie zweeg.

'Als het op het nieuws was,' zei Peter na een tijdje,

'dan heeft het vast ook in de krant gestaan.'

'In de krant?' vroeg Moerad.

'Een krant, dat is zo'n groot vel papier,' zei Josie. 'Er staan allemaal zwarte kriebeltjes op...' Ze dook opzij om het klokhuis te ontwijken dat Moerad naar haar gooide. 'Dat heet lettertjes!' zei ze. 'Die kun je lezen!'

'Hou op!' zei Peter. 'Even serieus, jullie! Ik ga naar huis en vraag of ik Roels kranten mag meenemen.'

'Als het in de krant heeft gestaan, dan is het ook op internet,' zei Josie.

'Daar kijk ik dan meteen naar,' zei Peter.

'Waarom jij?' vroeg Josie. 'Dat kan ik ook wel, hoor.'

'We kunnen allemaal gaan,' zei Moerad.

'Waar laten we Amma dan?' vroeg Peter. 'Razende Roel ziet ons aankomen met een verdwaald weeskind. Als dat is wat ze is.'

Moerad keek naar Amma en Yoe Lan, die allebei tegen Woelf aan waren gekropen en vast leken te slapen. 'Ze kunnen hier blijven. We zijn niet lang weg.'

'Ben je de motorman vergeten?' vroeg Peter. 'Tegen ons allemaal samen kan hij niet veel beginnen. Maar tegen twee kleine meisjes en één hond...'

'Mooi is dat,' zei Josie. 'Dus jij gaat lekker internetten en wij kunnen hier blijven om met enge zwarthelmen te vechten?'

'Dan heb je nog eens wat aan je judo,' zei Moerad.

'Ik weet iets beters,' zei Peter. 'Gaan jullie naar de ijssalon in het winkelcentrum. Dan kom ik daar ook naartoe.'

'De ijssalon,' zei Moerad. 'Dat klinkt al heel wat beter.'

Yoe Lan deed haar ogen open, gaapte en ging rechtop zitten.

'Yoe Lan,' fluisterde Moerad. 'Misschien is Amma weggelopen voor de politie. Het was op het nieuws.' Hij legde zijn vinger op zijn lippen. 'Peter gaat het nu uitzoeken op internet.'

Yoe Lan knikte.

Toen maakten ze Amma wakker. Het meisje keek angstig om zich heen. 'Waar ben ik?' vroeg ze.

'Bij je vrienden,' zei Moerad.

Woelf kwispelde.

'Ga je mee?' vroeg Moerad.

Amma keek zorgelijk, maar ze stond op.

Ze liepen terug over de dijk. Toen ze bij de fietsen waren tilde Moerad Amma op en zette haar achterop bij Josie. 'Hou je goed vast, hoor!' zei hij.

'Waar gaan we naartoe?' vroeg Amma.

'Naar de ijssalon,' zei Peter.

'Ik wil ijs,' zei Amma.

'Je krijgt een heel groot ijsje,' beloofde Moerad.

'Een heel groot ijs,' zei Amma.

Bij de molen ging Peter linksaf. De rest fietste rechtdoor.

'Ik ben zo benieuwd,' zei Yoe Lan. 'Als het waar is dat...'

'Sst,' zei Moerad.

Yoe Lan werd rood. Ze fietste zo hard voor de andere twee uit dat Woelf haar haast niet bij kon houden.

De huisvader zat achter zijn bureau aan zijn administratie te werken. Toen Peter aanklopte en binnenkwam keek hij geërgerd op.

'Waar heeft u de kranten?' vroeg Peter.

Roels gezicht klaarde op. 'Zo mag ik het horen, jongen,' zei hij. 'Elke dag de krant lezen, dan schop je het ver in de wereld.'

Hij stond op om de kranten te gaan zoeken. Het kantoor van Roeland was niet de netste plek van het internaat. Overal lagen paperassen kriskras door elkaar. Verstrooid rommelde hij tussen de wanordelijke stapels papier. 'Regels en voorschriften,' mompelde hij. 'Ha, daar heb ik ze.'

Ongeduldig pakte Peter de kranten aan. 'Wilt u ze terug hebben?' vroeg hij.

Maar de huisvader zat alweer verdiept in zijn papierwerk.

Peter rende naar zijn kamer om op de nieuwssites naar een bericht over Amma te zoeken. Daarna fietste hij zo snel hij kon naar het winkelcentrum.

De anderen zaten in de zon op het terras van ijssalon Caprice. Aan de volle tafel te zien waren ze bezig aan hun tweede portie.

'Hèhè,' zei Josie. 'Ben je intussen bij je moeder op bezoek geweest of zo?'

'Wat wil jij, Peter?' vroeg Moerad. 'Een sorbet, of een Caprice Special?'

Peter legde een stapeltje uitdraaien en wat kranten op tafel. 'Doe maar wat,' mompelde hij. Hij begon in zijn papieren te rommelen.

'Heb je wat gevonden?' vroeg Yoe Lan aarzelend.

Peter knikte. Hij keek opzij naar Amma, die met Woelfs oren aan het spelen was.

Moerad bracht Peter een enorme coupe ijs met een vlag van chocola erop.

Peter at zonder iets te proeven. Een heel stuk chocola brak af en viel op de grond. Woelf dook onder de tafel om het op te schrokken.

Yoe Lan gaf hem een tik en zette haar schoen op het stuk chocola. Woelf piepte. Moerad keek Yoe Lan boos aan.

Amma ging naast Woelf op de grond zitten en aaide hem over zijn rug.

'Chocola is heel slecht voor honden,' zei Yoe Lan tegen Moerad.

Moerad gaf haar een knipoog. 'Dan is het goed. Ik dacht even dat jij slecht voor honden was!'

Peter schoof de lege ijscoupe opzij. 'Kijk!' zei hij. Hij hield een foto die hij van internet geplukt had omhoog. De afdruk was niet erg duidelijk, maar toch zagen ze meteen dat het Amma was.

Peter keek naar het meisje onder de tafel en dempte zijn stem. 'Hier heb ik het. Vorige week is Amma door de jeugdzorg en de kinderpolitie uit haar klas gehaald.'

'Uit haar klas?' fluisterde Yoe Lan met grote ogen.

Peter knikte. 'Amma was heel bang en ze gilde. Ze wilde niet mee.'

'Ja,' zei Moerad. 'Nou weet ik het weer. De juffrouw van haar klas was op Stadsteevee en ze was woedend.'

'Waarom hebben ze dat gedaan?' vroeg Yoe Lan. 'Had Amma iets gestolen?'

'Dat staat hier,' zei Peter. 'Ze is waarschijnlijk een weeskind. Haar familie heeft haar uit Ghana naar familie in Nederland gestuurd. Dat was twee jaar geleden. Ze kwam met een groep Ghanezen op Schiphol aan, en die hadden allemaal valse papieren. De volwassenen kwamen bij de vreemdelingenpolitie terecht. Amma is opgevangen door de jeugdzorg. Haar familie hier heeft zich niet gemeld. Toen heeft ze twee jaar in een pleeggezin gezeten, maar daar mocht ze niet blijven.'

'Waarom niet?' vroeg Moerad.

'Dat heb ik nergens gevonden,' zei Peter. 'Misschien waren ze niet goed voor haar.'

'Waar moest ze dan heen?' vroeg Josie. 'Ik bedoel, na dat pleeggezin?'

'Geen idee. Hoe dan ook, waar de politie haar ook heen gebracht heeft, daar is ze nu niet meer. Want ze zit onder de tafel van een ijssalon en aait een hond.'

Amma kroop onder de tafel vandaan en ging op haar stoel zitten.

'Amma,' zei Josie, 'jij was bij een familie hier. Toch?'

'Dat mag ik niet zeggen,' zei Amma.

'Waren ze niet lief voor je?' vroeg Josie. 'Moest je daarom weg?'

Amma begon te huilen. 'Tante Mina is lief. Oom

31

Bob is lief. Fred is lief. Jannie is lief. Allemaal zijn ze lief.'

'Waar woont tante Mina?' vroeg Josie. 'In welke straat? Weet je het adres?'

Amma schudde haar hoofd.

'Waarom wil je dat weten?' vroeg Moerad. 'Wou je haar terugbrengen naar dat pleeggezin?'

'Misschien weten zij waar we haar naartoe moeten brengen,' zei Josie. 'Maar als Amma niet weet waar het is...'

'Tante Mina heeft me een versje geleerd,' zei Amma.

'Straks gaan we zingen, poppie,' zei Josie. 'Nu moeten we eerst een plan maken.'

'Een heel mooi versje,' herhaalde Amma koppig. 'Toen ik verdwaald was.' Ze begon met een hoog stemmetje te zingen. 'Als ik naar huis ga, als ik naar huis ga, dan ga ik naar huizega.' Ze keek trots om zich heen.

'Mooi hoor,' zei Moerad.

'Welja, moedig haar aan,' zei Josie. 'Laten we allemaal gaan zingen. We hebben niks anders te doen zeker.'

'Huizega,' zei Peter. 'Bedoel je dat je aan de Huizingalaan woonde?'

Amma knikte stralend.

'Lekker leuk,' zei Josie, 'dat is de langste straat van de hele stad.'

'Weet je het huisnummer?' vroeg Peter.

Amma schudde haar hoofd.

'Misschien herkent ze de plek,' zei Moerad. 'Als we over die laan fietsen.'

'Ook al vinden we dat huis,' zei Peter, 'dan nog kunnen we Amma daar niet heen brengen. We weten helemaal niet waarom de politie haar daar weggehaald heeft.'

'Niet politie,' zei Amma. Ze begon weer te huilen. De juffrouw van de ijssalon keek hun kant op.

'Als we haar meenemen naar het huis belt Roel de po... de jeweetwel,' zei Peter.

'Ik weet misschien iets,' zei Josie. 'Het volkstuintje van mijn oma. Er is een huisje met water en licht en een gasstel, een wc, echt alles wat je nodig hebt. Zelfs een bed.'

'Wat is...' begon Yoe Lan.

'Een bed,' zei Josie, 'dat is zo'n plank met een matras en...'

'Hebben jullie een schooltuintje?' vroeg Moerad.

Yoe Lan knikte.

'Een volkstuin, dat is net zoiets als een schooltuin, maar dan voor grote mensen,' zei Moerad.

'Waar is die volkstuin, Josie?' vroeg Peter.

'Niet ver. Aan de oude dorpsweg, voorbij die nieuwe wijk die ze in de polder gebouwd hebben, weet je wel?'

Peter knikte. 'Maar we kunnen Amma daar toch niet in haar eentje een hele nacht achterlaten?'

'Nee,' zei Josie. 'Wij gaan daar ook slapen! Ik heb er een keer een slaapfeestje gehouden. Met vier vriendinnen. We hadden zoveel chips en snoep op dat we allemaal overgegeven hebben. Dat was eens maar nooit weer, zei mijn oma.'

'Dan vindt ze het dus niet goed dat wij daar gaan slapen,' zei Peter.

33

'Dat is ze allang weer vergeten. En als ik haar lief aankijk kan ze geen nee zeggen.'

'Ja, dat heb ik ook bij jou,' zei Moerad, 'als je me lief aankijkt...'

'Maar ja,' zei Peter, 'wij krijgen nooit toestemming van de huisvader om daar te slapen.'

'Maar het is de eerste echte lentedag!' zei Yoe Lan. 'En de huisvader is echt een goeierd, hoor.'

'Hij wel,' zei Peter, 'maar zijn *administratie* niet. Als ik een nachtje bij een vriend wil logeren moet hij toestemming in drievoud van mijn moeder hebben.'

'En van de burgemeester,' zei Moerad.

'Precies. En hij moet de maaltijdvergoeding aftrekken van mijn maandbedrag en de beddengoedsubsidie terugstorten.'

'Dan gaan we stiekem,' zei Josie. 'Je kunt 's nachts heel makkelijk naar buiten glippen.'

'Mijn vader vermoordt me als hij erachter komt,' zei Moerad.

'Maar we moeten wel!' zei Josie. 'Laten we naar mijn oma gaan, dan vraag ik of we in haar huisje mogen logeren.'

'Vooruit dan maar,' zei Peter. 'Ik ga afrekenen.'

Moerad zette de ijscoupes op het blad en liep achter Peter aan. 'Je moet niet meteen achteromkijken,' zei hij.

'Kijken naar wat?' vroeg Peter. Hij keek achterom.

Moerad ging vlak voor hem staan. 'Ik wou het niet zeggen waar de anderen bij zijn, om ze niet bang te maken,' zei hij zacht. 'Er stond de hele tijd een man aan de overkant naar ons te kijken. Naast een brommer. En toen jij opstond reed hij weg.'

'De man met de motor?' vroeg Peter.

'Ik weet het verschil wel tussen een brommer en een motor! Trouwens, deze man was veel kleiner dan die andere.'

'Toeval,' zei Peter. 'Je moet geen spoken gaan zien.'

Het was maar vijf minuten fietsen naar het volkstuinpark. Josie had de sleutels van haar oma gekregen. Ze
maakte het buitenhek open en deed het achter hen
weer dicht.

'In de winter is het park gesloten,' zei ze. 'Dit weekend gaat het hek weer open voor het hele seizoen.'

Ze staken de parkeerplaats over en fietsten een
beetje zwabberend over het grind van de Lijsterlaan
tot ze bij het hekje van nummer 24 waren.

De tuin van Josies oma lag helemaal achteraan op
het terrein. Het was het laatste tuintje voor de ring-
sloot. Daarachter stond een rij bomen met een hoge
takkenwal ervoor.

'Niemand kan ons hier zien!' zei Moerad toen ze
hun fietsen hadden neergezet. 'Kijk, rechts is een hoge heg en achterin een bosje.'

'Wat een schattig huisje!' riep Yoe Lan. 'Net een
oud sprookjesboek. Met een regenton en een bankje
ervoor. Op dat bankje moet je een pijpje roken.'

'Ga jij je pijpje maar roken,' zei Moerad, 'ik wil binnen kijken.'

Josie maakte de deur open. Ze stommelden allemaal het trapje op.

'Nee Woelf,' zei Josie, 'jij mag niet mee naar binnen. Dat vindt mijn oma niet goed.'

Ze keken rond. Er was een piepklein keukentje, een slaapbank en een eettafel. Voor de ramen hingen gordijnen met rode roosjes erop.

'Er is van alles!' zei Moerad. 'Koekjes en thee en limonade...'

'Laten we opschieten,' zei Peter, 'we moeten heel wat regelen. Hé, waar is Amma gebleven? Ze is er toch niet weer vandoor?'

'Kom maar kijken,' zei Josie. In het zijkamertje stond een breed bed dat de ruimte helemaal vulde. Amma was op de matras gaan liggen en in slaap gevallen. Er zat een veeg chocolade op haar wang en modder op haar blote benen.

Moerad legde zijn jack over haar heen.

'Laat haar maar lekker slapen,' zei Peter. 'Dat komt goed uit. Wij gaan in de kamer zitten. Ze hoeft niet te horen wat wij bespreken.'

'Yoe Lan, ben je erg moe?' vroeg hij toen ze aan de eettafel zaten met limonade en koekjes.

'Helemaal niet.'

'Wil jij naar de boerderij gaan en vragen of Woelf mee mag kamperen vannacht? We hebben hem echt nodig als waakhond, zie je?'

Yoe Lan stond al. 'Natuurlijk.' Ze ging naar buiten, deed Woelf aan de lijn en pakte haar fiets.

'Weet je de weg?' riep Moerad haar na.

'Jaaa!' schreeuwde Yoe Lan. Ze was al een eind op het Lijsterlaantje.

'Hoe doen jullie dat nou vannacht?' vroeg Moerad.

'Wat bedoel je met "jullie"?' vroeg Peter. 'Ga je niet met ons mee terug naar de tuin?'

37

'Ik pieker er niet over,' zei Moerad. 'Mijn vader ont-erft me als hij erachter komt. En ik wil natuurlijk zijn pilotenpak hebben.'

'Het is zo simpel als wat,' zei Josie. ''s Nachts kun je gewoon naar buiten lopen. Roel snurkt als een verkouden onifant.'

'Maar hoe komen jullie morgenochtend het huis dan weer in?'

'Niet,' zei Josie triomfantelijk.

'Briljant,' zei Moerad.

'Ik leg 's nachts, als we weggaan, een briefje op de eettafel dat we een ochtendwandeling zijn gaan maken. Roel leest dat briefje morgenvroeg, kijkt uit het raam en ziet ons aan komen lopen, vier frisse neuzen. Daar is hij dol op. Hoe moet hij weten dat we niet thuis geslapen hebben?'

'Inderdaad, briljant,' zei Peter. 'En nu gaan we alles klaarmaken voor vanavond. Want straks is het hier donker. Of is er elektrisch licht, Josie?'

Josie schudde haar hoofd. 'Er zijn wel gaslampen, maar die geven niet veel licht.'

'Precies,' zei Peter. 'Je zei dat er dekens en zo waren?'

In een kast in de kamer lagen dekens, lakens en slopen voor het grote bed, en een slaapzak voor op de bank. Omdat Amma nog sliep legden ze het beddengoed op het voeteneind. Ze zetten de gaslampen klaar en veegden de vloer, want Josie had een spin zien lopen en ze wist niet of Amma van spinnen hield.

Toen Yoe Lan en Woelf terugkwamen was het huisje

klaar voor de nacht. De boer vond het goed dat Woelf uit logeren ging.

Amma was wakker geworden. Ze stond op de drempel van het zijkamertje en wreef in haar ogen. 'Ik heb het koud,' zei ze.

Josie gaf haar een oude sweater, die in de kast lag bij de overall en de tuinhandschoenen. De sweater kwam tot Amma's knieën. Ze trok haar ook de geitenwollen sokken aan die oma altijd in haar klompen droeg, met een elastiek om de enkels tegen het afzakken.

'Lekker warm!' zei Amma.

'Yoe Lan, kun jij thuis wat kleren voor Amma pakken?' vroeg Josie. 'Jij bent ook zo'n uk.'

'Ik ben geen uk,' zei Yoe Lan.

'Nee, dat is waar, je bent een reuzin,' zei Josie. 'Jammer, dan moet Amma maar kou lijden.'

'Natuurlijk neem ik kleren voor haar mee,' zei Yoe Lan vlug. 'En een jas.'

'Bij de kapstok in de hal staan de laarzen van de kleintjes,' zei Moerad. 'Daar moeten we dan straks maar een paar van lenen.'

'En nu gaan we gauw even naar huis om te eten,' zei Peter.

'Eten,' zei Amma.

'Hier is limonade,' zei Moerad. 'En koekjes. We nemen straks eten voor je mee.'

'Amma,' zei Peter, 'je blijft een uurtje hier, samen met Woelf, is dat goed?'

'Woelf moet binnen bij mij,' zei Amma.

Josie knikte. 'Voor deze keer dan. Maar hij mag niet op het bed of de bank liggen.'

'Doe de deur vanbinnen op slot,' zei Peter. 'En voor niemand opendoen.'

'Net als de wolf en de zeven geitjes,' zei Yoe Lan.

Amma ging naar buiten en riep Woelf.

'Hij wil niet komen,' zei ze boos. 'Dan blijf ik hier ook niet hoor.'

'Woelf!' riep Yoe Lan.

Woelf kwam aangerend, stoof het trapje op en sprong tegen iedereen op.

'Hij is blij dat hij naar binnen mag,' zei Yoe Lan. 'Woelf, je moet goed op Amma passen!'

Woelf kwispelde en ging bij de deur liggen om de wacht te houden.

'Kom,' zei Peter.

Pas toen ze de sleutel binnen in het slot hoorden omdraaien fietsten ze weg.

'Jullie zijn laat,' zei de huisvader. Hij had in de deuropening naar ze staan uitkijken. 'Ik krijg trek, moet ik zeggen.'

'Sorry meneer,' zei Moerad. 'We gaan meteen naar de keuken.'

Op zaterdag moesten de overblijvers zelf voor het avondeten zorgen. Meestal was er van alles over van de afgelopen week. Kokkie kookte altijd ruim voldoende; ze hield niet van lege schalen op tafel.

Maar deze keer hadden ze pech. Er was zoveel eten over geweest op vrijdag dat Kokkie een kliekjesdag had gehouden, met opgebakken aardappels en restjes groente. Er was alleen koud vlees over geweest, maar dat hadden ze al bij de lunch opgegeten.

'Laten we pannenkoeken bakken,' zei Moerad, toen ze de koelkast geïnspecteerd hadden. 'Dat gaat het snelst. Is er nog lasagne in de diepvries voor Roel? Want die lust geen pannenkoeken als avondeten.'

Moerad bakte de pannenkoeken, in twee pannen zodat het vlugger ging, en Josie zorgde voor de lasagne en de sla. Yoe Lan ging op zoek naar laarsjes, en naar kleren voor Amma die haarzelf te klein waren geworden.

'Doe jij ook nog iets?' vroeg Josie aan Peter, die rustig aan de keukentafel zat.

'Ik denk na,' zei Peter.

'Dan is het goed,' zei Josie. 'Want dat doen wij natuurlijk nooit.'

'Nou, dat is vlug!' zei Roel toen ze aan tafel zaten. 'En nog wel lasagne, dat is heel erg moeilijk om te maken, heb ik me laten vertellen!'

Ze hielpen hem niet uit de droom, en werkten zich in sneltreinvaart door de stapel pannenkoeken heen. Moerad had er drie in de keuken gelaten om mee te nemen voor Amma.

Roeland veegde zijn mond af en wreef zich in de handen. 'Wat een prima avond voor een gezellig spelletje rummikub,' zei hij.

'O nee!' zei Yoe Lan verschrikt.

'Wat ontzettend jammer,' zei Peter. 'We moeten aan de puzzelrit werken.'

'Puzzelrit?' vroeg Yoe Lan verbaasd.

Josie gaf haar een venijnige trap.

'In de voorjaarsvakantie willen we een puzzelrit houden,' zei Peter, 'ik bedoel de laatste dag vóór de vakantie.'

'Voor het hele huis,' zei Moerad.

'En we zijn nog lang niet klaar!' zei Josie.

Yoe Lan keek naar haar bord en probeerde haar tranen tegen te houden. De trap tegen haar scheenbeen deed gemeen pijn, en ze schaamde zich dat ze zo stom geweest was. Nu zouden Peter en Moerad haar niet mee willen hebben naar het huisje. En Josie zeker niet. Die vond haar toch al een dom klein kind.

'Ik kan wel rummikub met u spelen, meneer,' zei ze.

'Aan mij hebben ze niet zoveel.'

'O nee,' zei Moerad meteen. 'Yoe Lan moet mee-helpen.'

'Ja hoor,' zei Josie. 'Ziet u, we proberen de vragen uit op Yoe Lan. Als zij ze snapt dan kan iedereen in het internaat ze begrijpen.'

'Doe niet zo flauw,' zei Peter.

'Zo bedoel ik het niet,' zei Josie.

'Wat voor vragen?' vroeg Roel. 'Is het een quiz?'

'Iedereen krijgt een papier mee,' legde Peter uit. 'Elk tafelgroepje. Daar staan aanwijzingen op voor de fietsroute, en vragen over bijvoorbeeld de molen of de sluis, zodat we weten dat ze overal geweest zijn. Een puzzelrit. Dus.'

'Voor het hele huis?' vroeg Roel.

Ze zuchtten van ongeduld.

'Dat is ontzettend leuk!' zei Roel plotseling. Hij stond op en schoof zijn stoel achteruit. 'Ik kan mee-helpen! Ik weet behoorlijk veel van molens en sluizen en zo.'

De kinderen keken elkaar geschrokken aan. Dit ging helemaal fout.

'Maar meneer,' zei Yoe Lan, 'u moet de puzzelrit straks ook rijden.'

'Ja,' zei Josie, 'en dan is het niet eerlijk als u alles al weet.' Ze gaf Yoe Lan een goedkeurend knipoogje.

Yoe Lan bloosde van plezier.

'Nou, ik vind het een prachtplan!' zei Roel. Hij ver-dween fluitend naar zijn werkkamer en vergat hele-maal dat het voor Yoe Lan wel erg laat was om nog naar buiten te gaan.

43

Josie deed het grote hek van het tuinpark van het slot. Ze zette het op een kier, zodat ze er doorheen konden met hun fietsen. Net toen ze het weer dicht wilde doen kwam er een man aanlopen uit het tuinpark. Het leek wel of hij uit het niets tevoorschijn kwam, zo plotseling stond hij voor haar. Hij was klein en mager, en hij glipte door de kier van het hek naar buiten, de straat op.

'Hé!' riep Josie hem achterna.

'Wat is er?' vroeg Peter.

'Hij moet het hek op slot doen,' zei Josie. 'Dat is de gewoonte. Hij ging er het laatst doorheen.'

'Beetje kinderachtig,' zei Peter.

'Je bent zelf kinderachtig,' zei Josie. 'Als hij een sleutel heeft weet je meteen dat het een van de tuinders is, en niet een dief of zo.'

'Het was vast een tuinder,' zei Peter.

Moerad was geschrokken. Hij wist bijna zeker dat hij de man van de ijssalon herkend had, die met zijn brommer aan de overkant had gestaan. Deze man had geen helm op, maar hij had net zo'n geruite jas aan en hij was ook even groot, of eigenlijk klein.

Moerad keek naar Peter. Straks moest hij het hem vertellen. Als de anderen er niet bij waren.

Ze fietsten zo vlug mogelijk naar hun tuin. Toen ze

44

bij het huisje waren zagen ze dat de gordijnen waren dichtgetrokken. Ze hadden geen lamp aangedaan voor ze weggingen. Amma zat helemaal in het donker.

'Amma!' riep Josie toen ze bij de voordeur waren. 'Amma! Doe maar open, wij zijn het!'

Ze wachtten even, maar er gebeurde niets.

'Waarom blaft Woelf niet?' vroeg Moerad. Hij was opeens ongerust.

'Hij blaft alleen voor vreemd volk,' zei Yoe Lan.

'Amma!' riep Peter.

'Misschien is ze gaan wandelen omdat Woelf moest plassen,' zei Josie.

'Hij kan het net zolang ophouden als nodig is,' zei Yoe Lan.

'Stil eens jullie,' zei Moerad. Hij legde zijn oor tegen de deur. 'Ik hoor duidelijk flop, flop, flop. Als dat geen hondenstaart is die tegen de grond slaat is mijn naam geen Moerad.'

'Woelf,' riep Yoe Lan door de deur heen. 'Haal Amma. Maak Amma wakker.'

'Of doe de deur voor ons van het slot,' riep Josie erachteraan.

'Dat is niet leuk,' zei Yoe Lan. 'Woelf kan alleen maar hondendingen, geen mensendingen.'

'Noem jij pootjegeven een hondending?' vroeg Josie.

'Ja,' zei Yoe Lan. 'Mensen geven geen poot.'

Ze liepen om het huisje heen. Josie klopte op het raam van het zijkamertje.

Eindelijk hoorden ze een zwak stemmetje. 'Zijn jullie dat?' vroeg Amma.

45

'Ja, wij zijn het,' riep Peter. Ze liepen terug naar de deur en eindelijk werd die opengedaan. Woelf sprong Yoe Lan bijna omver.

'Naar buiten jij,' zei Yoe Lan.

'Nee!' gilde Amma. Nu pas zagen ze dat ze gehuild had.

'Was je bang?' vroeg Moerad zacht.

'Een man,' zei Amma.

'Waar?' vroeg Peter.

'Ik zag hem door het raam,' zei Amma. 'Woelf gromde. Ik keek naar buiten. Hij stond bij het hekje.' Ze begon te huilen.

'Was het de man die achter je aan zat?' vroeg Peter.

'Ik zag hem niet goed,' zei Amma.

'Was hij klein?' vroeg Moerad.

Amma haalde haar schouders op. 'Woelf blafte. Toen liep hij weg.'

'Moerad, wij gaan kijken of we nog iets verdachts zien,' zei Peter. 'Yoe Lan en Josie, jullie blijven bij Amma. Wij nemen Woelf mee, dan kan ons niets gebeuren. Hou de deur op slot.'

Toen Moerad en Peter weg waren haalde Yoe Lan de pannenkoeken tevoorschijn. Het papieren servet was doorweekt met stroop en de pannenkoeken zaten eraan vast gekleefd. Het papier moest er met een mes van af worden geschraapt.

Toen Amma klaar was met eten zat er stroop op haar gezicht en haar kleren. Haar tranen was ze vergeten.

Yoe Lan haalde de kleren tevoorschijn die ze uit

het internaat had meegenomen. 'Kijk eens of dit past, Amma,' zei ze. Ze had een jasje bij zich, wat ondergoed en een mooi Chinees jurkje, van een glanzende rode stof met gele draken erop, met een boordje. 'Er horen ook schoentjes bij.'

Amma keek naar de kleren maar verroerde zich niet.

'Vind je het niet mooi?' vroeg Yoe Lan.

'Eerst wassen,' zei Amma.

Josie pakte een teiltje uit het washok en zette een ketel water op. Toen het water warm was zette ze Amma in de teil. Ze waste haar haren ook. Daarna trok ze haar het ondergoed aan dat Yoe Lan had meegebracht, het mooie jurkje en de schoenen. Het waren een soort zwarte leren slofjes. Ze waren een beetje groot, maar Yoe Lan had eraan gedacht dikke wollen kniekousen mee te nemen.

Er was maar één spiegel in het huisje, en ze tilden Amma op om zichzelf te bewonderen.

Intussen maakten Peter en Moerad een ronde door het park. 'Peter,' zei Moerad, 'de man die net wegglipte door het buitenhek leek precies op die vent bij de ijssalon. Misschien volgt hij ons toch. Dan heeft Amma hem bij onze tuin gezien.'

Peter zuchtte. 'Misschien moeten we maar naar de politie gaan. Het bevalt me niks.'

'Amma is zo bang voor politie.'

'Jaap heeft geen uniform aan,' zei Moerad. 'Amma kan niet zien dat hij van de politie is. Ik zou hém kunnen bellen.'

47

'Maar dan moet hij zijn collega's inlichten,' zei Peter. 'En dan komt de kinderpolitie en nemen ze Amma weer mee.'

Ze maakten een grote ronde over het terrein, keken goed rond en liepen soms zelfs een tuin in, maar ze zagen niemand. En Woelf gromde ook niet. De man die Amma bang had gemaakt was allang het volkstuinpark uit.

'Laten we maar eens bij dat pleeggezin gaan kijken,' zei Peter. 'In de Huizingalaan.'

Moerad knikte. 'Ik ben wel blij dat we zo'n grote hond bij ons hebben.'

Woelf kwispelde gevleid.

Toen Peter en Moerad terug waren in het huisje herkenden ze Amma bijna niet. Ze moest rondjes draaien om zich van alle kanten te laten bekijken.

'Maar je ruikt niet meer naar jezelf!' zei Moerad. 'Die lekkere lucht van modder en pap en...'

Yoe Lan zag dat Amma sip begon te kijken. 'Ze is in bad geweest,' zei ze vlug.

'We moeten opschieten, jongens,' zei Peter. 'Amma gaat ons wijzen waar tante Mina woont.'

Ze pakten hun fietsen en gingen op weg. Ze reden de oude dorpsweg af tot ze in de buitenwijk kwamen. Na het groen en de bloemen in het tuinpark leken de flats grijs en grauw en de straten saai en recht.

Bij de grote rotonde gingen ze rechtsaf, de ellenlange Huizingalaan in. Ze reden pas een paar minuten toen Amma haar huis herkende. 'Daar! Daar!' riep ze. 'Daar woon ik!' Ze wiebelde zo hard op de bagagedrager dat Josie bijna omviel.

'Nou, dat was een makkie,' zei Moerad. 'Wat gaan we nu doen?'

'Ik wil naar tante Mina!' riep Amma.

'Dat kan niet,' zei Moerad. 'Als alles in orde is komen we hier heel gauw terug. Dan mag je naar tante Mina en oom Bob.'

'Rij jij met Amma en Woelf terug?' zei Peter tegen

49

Moerad. 'Straks herkent iemand haar.'

'Waarom moet Yoe Lan mee naar binnen?' vroeg Josie. 'Het is gek als we met ons drieën bij die familie aan komen zetten.'

'Ik wil tante Mina zien,' zei Yoe Lan. 'Ik wil weten of ze lief is geweest voor Amma.'

'Yoe Lan gaat mee,' besliste Peter.

Moerad fietste weg met een luidkeels protesterende Amma achterop. De anderen zetten hun fietsen neer.

'Denk erom,' zei Peter voor hij aanbelde. 'Laat mij het woord doen, anders gaan we elkaar tegenspreken. En let op of je iets verdachts opmerkt.'

'Wat voor iets?' vroeg Yoe Lan.

'Een reden waarom Amma daar weg moest.'

Het huis waar Amma twee jaar gewoond had was vrolijk versierd. HOERA! stond er met vergulde kartonnen letters boven de deur.

Een vrouw deed open. Ze was rond en klein, en ze had een roze feestjurk aan. Dat moest tante Mina zijn. 'O, jullie komen voor Fred!' zei ze hartelijk. 'Wat aardig om eraan te denken.'

Ze liepen achter haar aan de huiskamer in. Fred zat achter een verjaardagstaart met kaarsjes, met zijn vader en zusje aan weerskanten naast hem. Oom Bob en Jannie. Ze gaven iedereen een hand.

'We vieren het altijd,' zei tante Mina zenuwachtig, 'wat er ook gebeurt. Leuk hè Fred, verjaardagsvisite.'

Fred keek naar de onbekende kinderen. 'O,' zei hij beteuterd.

'Dat kan wel iets hartelijker,' zei oom Bob. 'Tegen je vrienden.'

Fred deed zijn mond open.

'Wij zitten bij Amma op school,' zei Peter vlug. 'We zijn heel erg geschrokken toen de politie kwam. Dus hebben we gevraagd of we iets voor haar konden doen. We hebben wat schriftjes van haar, en die willen we aan haar geven.'

'Amma woont hier niet meer,' zei tante Mina.

'Maar u heeft haar adres toch wel?' vroeg Peter.

'We weten niet waar ze is,' zei oom Bob kortaf.

'Wij mogen niks zeggen,' zei tante Mina.

'We vroegen ons af of u ook nog schoolspulletjes van Amma heeft,' zei Josie. 'Als we haar dan gevonden hebben...'

'Kom je het ons zeggen als je weet waar ze is?' vroeg tante Mina. 'We zijn erg ongerust.'

'Amma wil vast graag haar koffertje hebben,' zei Jannie opeens. 'Met haar schetsboek.'

'Stil, Jannie,' zei oom Bob.

'Waarom mogen we niet over Amma praten?' vroeg Fred plotseling.

'Dat heeft die mevrouw gezegd,' zei oom Bob.

Tante Mina ging de kamer uit. Niemand zei iets. Peter keek om zich heen. Het was een gezellige huiskamer, en aan een van de muren hingen kleurige tekeningen met Amma's naam eronder. Een hele muur vol. Het leek erop dat iedereen in het gezin dol op haar was.

Waarom moest ze hier dan weg? En waarom was ze uit de klas gehaald? Peter had nog zoveel vragen, maar tegen een spreekverbod kon hij niet op.

Tante Mina kwam terug met een rood koffertje. Ze gaf het aan Josie.

Ze groetten oom Bob, Fred en Jannie, volgden tante Mina naar de voordeur en bedankten haar.

Meteen om de hoek stapten ze van hun fiets.

Josie maakte het koffertje open. 'Kijk,' zei ze. 'De Mariaschool. Dat staat op dit schrift. Ik wed dat de juf van Amma weet wat er aan de hand was met dit gezin. Want ik vond die oom Bob wel verdacht.'

'De school...' zei Peter. 'Dat we daar niet eerder aan gedacht hebben. We hadden er Amma naar kunnen vragen.'

'Kijk, haar kerstrapport,' zei Josie. 'Ondertekend door de juffrouw. Elsje Wijsmuller.'

'We kunnen niet naar huis om op internet te kijken waar ze woont,' zei Peter. 'Dan komen we niet meer weg. En dan ziet Roel dat Moerad niet bij ons is.'

'In het winkelcentrum is een internetcafé,' zei Yoe Lan.

'Wat deed je in het winkelcentrum?' vroeg Josie.

'Een cadeautje kopen,' zei Yoe Lan. 'Samen met Mei. Voor iemand uit onze klas.'

'Mooi!' zei Peter. 'Wat goed dat jij erbij bent, Yoe Lan. We gaan er meteen naartoe.'

'Wat moeten we zeggen tegen haar juf?' vroeg Yoe Lan, toen Peter in het internetcafé was. 'Zij weet dat we niet bij Amma op school zitten.'

'Ik verzin wel iets,' zei Josie.

Peter was heel snel terug. 'Juf Wijsmuller woont op

de Molendijk,' zei hij. 'Vlak bij het Boegbeeld.'

'Kom mee,' zei Josie, 'anders is ze gaan stappen. Het is zaterdagavond.'

'Misschien is ze wel zestig,' zei Peter.

'Dat is mijn oma ook,' zei Josie. 'En die zet de bloemetjes buiten, hoor!'

'Ja, in haar tuintje!' zei Yoe Lan.

'Ik bedoel dat ze lekker uitgaat en zo,' zei Josie. 'Kom op!'

Juf Wijsmuller woonde achteraan op de Molendijk, in een mooi wit huisje. Ze trokken aan de koperen trekbel die naast de voordeur hing en hoorden een stem die door de gang galmde. 'Joehoe schat! Ik kom eraan!'

Elsje Wijsmuller deed open in een strakke rode jurk. Ze was bezig een lange rode oorbel in te doen en ze hield de deur met één voet open. 'Dag lieverd,' zei ze, zonder te kijken wie er voor de deur stond.

'Dag lieverd,' groette Peter beleefd.

Juf Elsje gaf een gilletje en liet de oorbel vallen. 'O hemel, wie zijn jullie, wat...'

Peter raapte de oorbel op en gaf hem aan haar terug.

'Mevrouw Wijsmuller,' zei Josie, 'wij zijn de buurkinderen van Amma. Ze heeft haar koffertje bij ons laten staan en...'

'Amma,' zei juf Elsje zuchtend. 'Wat een ellendige toestand. Komen jullie maar even binnen.'

Het huisje had maar één kamer, met een keukentje erin en een groot bed. Overal lagen kleren, alsof juf Elsje haar hele garderobe had staan passen voor haar afspraakje met 'lieverd'.

'Wij willen weten waar Amma is,' zei Josie, 'en haar koffertje teruggeven.'

'Ach schat,' zei juf Elsje. 'Ik weet niet waar ons engeltje gebleven is. Niemand weet het.'

'Waarom moest ze eigenlijk bij onze buurvrouw weg?' vroeg Peter.

'Het was een tijdelijk pleeggezin,' zei juf Elsje. 'De bedoeling was dat ze naar een gezin zou gaan van haar eigen cultuur.'

'Wat is dat?' vroeg Yoe Lan.

'Dat ze uit Afrika komt,' zei Elsje, 'en dat ze beter bij mensen uit haar eigen land past dan bij ons.'

'En waarom is ze dan twee jaar bij tante Mina gebleven?' vroeg Peter.

'Er is een fout gemaakt bij de jeugdzorg,' zei juf Elsje. 'Er lag iets in een la, een papier, en dat is verdwenen, of de la is zoekgeraakt, en toen zijn ze Amma vergeten. Hebben jullie buren dat niet verteld?'

'Ze hebben een spreekverbod,' zei Peter.

'Ik vind Roeland heel lief,' zei Yoe Lan, 'ook al is hij geen Chinees.'

'Wie is Roeland?' vroeg Elsje.

'Onze huis...' begon Yoe Lan. Ze wilde de aardige juf van Amma over het internaat vertellen, en over de huisvader. Net op tijd bedacht ze dat ze 'buurkinderen' van Amma waren.

'Let maar niet op haar,' zei Josie tegen Elsje. 'Yoe Lan kletst maar wat.'

Deze keer vergaf Yoe Lan haar de belediging. Josie probeerde háár foutje goed te maken.

Elsje keek van Yoe Lan naar Josie en toen naar Peter. 'Ik heb ergens de naam van die mevrouw opgeschreven,' zei ze. 'Van de jeugdzorg. Die met de politie in mijn klas kwam om Amma mee te nemen. Hier, mevrouw Roolvink. Haar adres heb ik niet.'

Ze gaf het briefje aan Peter. 'Doe de groeten aan die arme lieverd als jullie haar vinden. Ik bedoel Amma, niet Roolvink.'

Ze namen afscheid van juf Elsje.

Toen ze buiten stonden kwam er een auto aanrijden. Er stapte een grote blonde vrouw uit. Ze liep naar de voordeur. Het portier aan de rechterkant ging ook open. Maar de passagier stapte niet uit. Misschien kon hij zijn gordel niet loskrijgen.

'Het wordt druk bij juf Elsje,' zei Josie. 'Misschien geeft ze een feestje.'

'Dan zet ze de bloemetjes binnen!' zei Yoe Lan. 'Heet dat zo, Josie?'

'We moeten opschieten,' zei Peter. 'En denk erom, niets tegen Amma zeggen over haar juf. Anders gaat ze weer huilen.'

Zo snel ze konden reden ze terug naar de volkstuin.

'Mijn koffertje!' riep Amma zodra ze in het huisje waren. 'Tante Mina heeft mijn koffertje gegeven!'

Josie gaf haar het rode koffertje. Amma klemde het eerst een tijdje tegen zich aan, alsof het een knuffelbeer was. Toen ging ze op de grond zitten, maakte het koffertje open en begon al haar spulletjes eruit te halen. Ze was zo druk bezig dat ze niet luisterde naar de anderen.

Peter vertelde Moerad zachtjes wat ze te weten waren gekomen over het pleeggezin. Bijna niets dus.

'Ze hebben een spreekverbod,' zei Josie.

'Waarom?' vroeg Moerad.

'Dat mochten ze niet zeggen,' zei Peter. 'Maar we hebben wel haar juf van school opgezocht.' Hij keek omlaag naar Amma, die ingespannen zat te kleuren. 'Daarover vertel ik je later. Wij moeten nu als de bliksem naar huis, welterusten zeggen tegen Roel, gauw naar bed en dan zodra het kan stiekem wegsluipen.'

Hij liep naar Amma toe en ging op zijn hurken voor haar zitten. 'Amma,' zei hij, 'jij moet even hier blijven met Woelf tot we terug zijn.'

Amma begon te huilen. 'Nee! De man! De man komt terug!'

Ze keken elkaar aan. Ze waren de vreemde gluurder helemaal vergeten.

57

'Wat doen we nu,' zei Moerad.

'Joppie,' zei Josie na een tijdje.

'Ik vind het helemaal niet joppie,' zei Peter.

'Joppie woont op de tuin,' zei Josie. 'Lisette, zijn moeder, heeft een huisje een eindje verderop aan de Lijsterlaan. Vanaf april wonen ze altijd samen op het tuinpark, want ze hebben een kleine etage in het centrum, en Joppie is nogal druk... Hier op de tuin kan hij zich lekker uitleven. Hij crost met zijn fiets over de paden en hij schiet met een katapult steentjes naar alles wat los en vast zit. Hij kan op Amma passen.'

'Goed idee,' zei Peter. 'Gaat hij haar dan ook met steentjes bekogelen?'

'Joppie is toevallig dol op mijn oma en mij,' zei Josie. 'En hij is dol op zakgeld. Daar koopt hij tijdschriften van met geweren erin. Kom, we gaan Joppie vragen of hij even bij Amma wil blijven.'

Zodra Amma zag dat ze naar de deur liepen stopte ze haar spullen in het koffertje en kwam overeind. 'Ik ga ook mee,' zei ze angstig.

Ze wachtten op het terras tot Josie het huisje op slot had gedaan. Yoe Lan deed intussen Woelf aan de riem. Ze liepen achter Josie aan het tuintje uit.

In de laan was het niet zo donker als in de tuin. In sommige huisjes brandde licht, en hier en daar stonden buitenlampen of tuinfakkels.

Een eind verder op de laan bleef Josie staan en floot een deuntje. Bijna meteen klonk er een fluitje als antwoord. Ze keken omhoog. Er was een hut gebouwd in een grote boom vlak aan de laan. Uit een opening tussen de verweerde planken stak een woest uitziend

58

hoofd. Dat moest Joppie zijn. Hij droeg een groene helm met bladeren erop. Onder het hoofd verscheen de loop van een geweer. 'Halt! Wie daar!'

'Present, majoor,' zei Josie.

Even later stond er een soldaat voor hen in een camouflagepak met een brede riem eromheen waaraan een dolk, een Zwitsers zakmes en een zaklantaarn hingen.

Josie vertelde Joppie snel waarom het ging. Hij luisterde ongeduldig knikkend en keek toen heel bedenkelijk naar Amma.

'Ik ben niet gek op babysitten,' zei hij. 'Ik kan heel vlug iets geheims wegbrengen op de fiets. Of een eend voor jullie vangen.'

'Het is een verantwoordelijke opdracht, Joppie,' zei Josie. 'Wij laten dit kleine meisje onder jouw hoede achter. Er zitten zekere risico's aan.'

Joppie knikte. 'Wat schuift het?' vroeg hij.

'Het is voor het vaderland,' zei Josie.

'Twee euro,' zei Peter. 'Voor een uur of iets meer.'

Joppie knikte. 'Ik ga even zeggen dat ik met jullie mee ben. Als Josie erbij is, is het altijd goed.' Hij rende het tuinpad af naar zijn huisje.

Toen Joppie terug was en gezegd had dat hij mocht, liepen ze vlug naar hun eigen tuin. Plotseling ging Woelf er luid blaffend vandoor.

'Woelf!' riep Yoe Lan boos. 'Hier!'

'Kijk eens,' zei Moerad.

Aan het eind van de Lijsterlaan was een vage gestalte te zien. Woelf rende ernaartoe. Blaffend sprong hij tegen de schim op, maar in het schemerdonker was

59

niet goed te zien wat er verder gebeurde. Toen ze rennend aan het eind van de laan kwamen was de schim verdwenen.

Woelf stond tegen het tuinhek van de overburen op te springen.

Peter deed het hek open en liep de tuin in. 'Kom Woelf,' zei hij. 'Zoek!'

De anderen bleven dicht op elkaar in de laan staan.

Amma was weer gaan huilen.

Yoe Lan sloeg een arm om haar heen. 'Woelf jaagt hem wel weg,' zei ze. 'Misschien was het een zwerver.'

Peter en Moerad kwamen terug. 'Niemand te zien,' zeiden ze.

'Je moet de deur op slot houden als wij weg zijn,' zei Peter tegen Joppie toen ze binnen waren. 'Dit bevalt me niks, maar ik weet niet wat we anders moeten doen.'

Amma ging op de bank zitten en pakte haar koffertje weer uit. Ze legde het schetsboek op haar schoot en de kleurpotloden naast zich. Ze begon te tekenen.

'Is dat jouw koffertje?' vroeg Joppie vriendelijk. Hij was dan misschien niet gek op babysitten, maar hij deed wel zijn best. 'Wat een mooi koffertje, zeg!'

Amma glimlachte.

'Mag ik het eens bekijken?'

Amma knikte.

Joppie pakte het koffertje en draaide het om en om. 'Stevig ding!'

Peter was gerustgesteld. Joppie wist in elk geval hoe hij Amma op haar gemak moest stellen.

'Wij pakken onze fietsen en dan gaan we er als

een haas vandoor,' zei Peter.

'Wacht even,' zei Josie. Ze keek naar Joppie, die het rode koffertje heen en weer schudde. Er kwam een rammelend geluid uit.

'Er zit nog iets in,' zei Joppie. Hij deed het koffertje open en keek erin. 'Maar ik zie niks.'

'Geef hier,' zei Amma. 'Dat is van mij.'

'Heb je er knikkers in verstopt?' vroeg Joppie. Hij stak zijn hand in het koffertje en voelde.

'Nee,' zei Amma. 'Geef nou.'

Joppie stond op en liep naar Peter toe. 'Hier op de bodem zit iets!' zei hij.

Peter keek. 'Ik zie niks.'

'Er zit vast een geheim vakje in!' zei Joppie. 'Dat heb ik in een film gezien.' Hij trok aan de voering. Er klonk een scheurend geluid.

Amma begon te huilen.

'Geef hier,' zei Josie. Ze probeerde het koffertje af te pakken. 'Jij maakt altijd alles kapot.'

Joppie ontweek haar en draaide zich om. Hij stak zijn hand nog eens in het koffertje en haalde er een plat metalen doosje uit. Toen liep hij terug naar de bank, maakte het doosje open en schudde het leeg.

'Kiezelsteentjes,' zei hij teleurgesteld. Op de bekleding van de bank lag een hoopje kleine, grijze stenen, in allerlei grillige vormen.

De anderen kwamen erbij staan.

'Heb jij deze steentjes gevonden?' vroeg Joppie aan Amma.

Amma keek hem boos aan. ' Nee,' zei ze. 'Dat is niet van mij.'

'Wat zijn dat voor steentjes, Amma?' vroeg Moerad.

'Laat haar maar,' zei Josie. 'Als Amma niet wil praten, dan krijg je er echt niks uit.'

Joppie zocht verder in het koffertje. 'Hier zit nog wat,' zei hij. 'Een pen of zo.' Het was een langwerpig rond kokertje, zo groot als een flinke vulpen. Hij schroefde de dop eraf en schudde. Een handvol glinsterende, flonkerende stenen, zo groot als erwten, maar hoekig en niet rond, stroomde over de bank uit.

'Allemachtig!' riep Peter.

'Diamanten!' zei Moerad.

Het was nacht. In het huisje op de volkstuin lagen de kinderen diep in slaap. 's Avonds waren Peter, Moerad, Josie en Yoe Lan teruggegaan naar het internaat. Peter had de diamanten in zijn kamer weggeborgen. Daar waren ze veilig.

Eerst hadden ze geprobeerd Amma uit te horen. Van wie had ze het koffertje gekregen? Hoe kwamen die diamanten erin? Maar het meisje had niets los willen laten.

Ze waren naar bed gegaan met hun kleren aan. Een uurtje later waren ze naar buiten geslopen en naar de volkstuin gereden. Alleen Moerad was in het internaat achtergebleven.

Josie lag met Yoe Lan en Amma in het grote bed in het zijkamertje. Peter sliep op de bank.

Woelf lag op het pad voor het tuinhekje op wacht. Hij sliep ook, maar niet zo diep. Zo af en toe gromde hij naar een langslopende woelmuis of egel.

Peter droomde dat er iemand zijn kamer binnen sloop om de diamanten te stelen. Ik moet de kastdeur op slot doen, dacht hij. Maar zijn benen wilden niet. Toen ging de kamerdeur open en Joppie kwam binnen met zijn geweer in de aanslag.

'Hands up!' riep Joppie, en hij begon meteen te schieten. Piefpafpoef! De schoten schalden door het huis.

63

'Pas op!' riep Peter, 'de huisvader wordt wakker.' Hij sloeg zijn benen over de rand van het bed.

Boem!

'Au!' Peter werd wakker op de grond naast de bank. De slaapzak zat om hem heen gekronkeld, daarom had hij zijn benen niet kunnen bewegen. Hij had gedroomd, maar het schieten was geen droom. Buiten hoorde hij duidelijk een vervaarlijk geknal.

Peter wreef zijn ogen uit, en voor de zekerheid ook zijn oren. Paf! Paf! Paf! klonk het buiten in de tuin. Nee, geen paf paf paf maar waf waf waf. Woelf ging als een razende tekeer. Misschien had hij een nachtelijke ontmoeting met een rat.

Peter wurmde zich uit zijn slaapzak. Hij draaide de deur van het slot en liep naar buiten.

Woelf had geen rat ontmoet, maar een veel groter wezen. Het tuinhekje stond open, en half op het tuinpad en half op het Lijsterlaantje kronkelde een vechtende massa hond en mens.

'Af, Woelf! Af!' riep Peter.

Woelf gromde even als antwoord, maar hij hield zijn kaken stevig op elkaar, met waarschijnlijk een stuk van de arme bezoeker ertussen.

Peter pakte Woelf bij zijn halsband en begon te trekken. Toen pas keek hij naar de man. Diens donkere gezicht was verwrongen van pijn en woede. De brommerman van de ijssalon was het niet, die had roze wangen. Zwarthelm op zijn motor, die geprobeerd had hen tegen te houden op de dijk, had witte polsen. Dat was het enige stukje huid dat Peter had kunnen zien. En deze man was net zo donker als Amma. Dit was een nieuwe kaper op de kust, de derde.

Met twee handen probeerde de man Woelf van zich af te duwen. Half onder zijn hoofd, op het grind van het Lijsterlaantje, lag zijn oranje sjaal.

'Af!' riep Peter nog eens.

Woelf liet de man plotseling los.

Peter viel achterover op het tuinpad. Hij hoorde hoe de man overeind krabbelde en wegrende. 'Woelf!' riep hij, 'pak ze!'

Woelf draaide zijn kop om en keek Peter even aan, alsof hij zeggen wilde: 'Ja, maar dat deed ik toch, en toen mocht het niet!' Toen rende hij achter de man aan.

Peter kreunde. Hij wilde opstaan, maar er vloog iets over hem heen, en iemand trapte op zijn hand. Peter ging maar weer liggen.

'Peter? Gaat het?' Het was Josie. Ze zag de oranje sjaal bij het tuinhek liggen en rende achter Woelf aan.

'Ik kom!' riep Peter.

Josie zag de man in de verte lopen. Ze kon hem niet inhalen, ook al deed ze elke dag conditietraining, maar Woelf zat hem op de hielen. Met één sprong gooide hij hem tegen de grond.

'Af, Woelf,' hijgde Josie, toen ze er eindelijk was. Ze sprong boven op de man, die op zijn buik in het grind van de parkeerplaats lag met Woelfs tanden in zijn kraag. Grommend liet Woelf los.

Josie kwam met een klap op de rug van haar tegenstander terecht. Heel even was hij lamgelegd, en ze pakte zijn polsen en draaide er het touw omheen dat ze meegegrist had uit het huisje.

De man boog zijn knieën en probeerde haar te schoppen. Hij had lange benen, en sterke benen.

'Woelf,' zei Josie.

Woelf gromde vervaarlijk en zette zijn tanden in een broekspijp. Toen lag de man even stil.

'Peter,' zei Josie buiten adem toen hij kwam aangerend, 'zijn benen!'

Peter nam een snoekduik en drukte met zijn hele lichaam de benen tegen het grind. 'Hebbes,' zei hij grimmig.

Josie draaide zich om. Ze hield met haar benen het bovenlijf van de man in bedwang en sloeg het touw een paar keer om de tegenspartelende knieën. Een ferme knoop, en klaar was Kees.

'Wat heb je daar?' fluisterde Peter.

'Raffia,' zei Josie. 'Bindtouw voor de erwten en zo. Niet dat dit een erwt is. Meer een reuzenboon.'

'Wat nu?' zei Peter.

De man onder hen begon weer te bewegen.

'Lig stil of de hond bijt echt,' zei Josie tegen hem. Ze bond de armen van de man aan zijn bovenlijf vast. 'Ik haal de kruiwagen,' zei ze tegen Peter. Ze rende terug en haalde de kruiwagen.

Samen draaiden ze hun gevangene om en sjorden hem overeind. Eerst spartelde hij tegen, maar toen Woelf begon te grommen hield hij daarmee op. En toen hij eenmaal opgevouwen in de kruiwagen lag werd hij heel rustig. Hij zag er verbaasd uit.

Geen wonder, dacht Peter. Je wordt niet elke dag door twee kinderen en een hond neergegooid en daarna in een kruiwagen gelegd.

Peter reed hun merkwaardige vrachtje naar de tuin aan het eind van de Lijsterlaan. Ze sleepten hem het huisje in en legden hem op de bank.

Yoe Lan was wakker geworden. Ze vertelden haar wat er gebeurd was. Josie deed de gaslamp aan en sloot de deur van het zijkamertje.

'Was Moerad er maar bij,' zei Yoe Lan. Ze keek bang naar de grote man op de bank. Die lag nog steeds rustig, met diezelfde stomverbaasde blik in zijn ogen. Maar ook een beetje sluw, dacht Yoe Lan, alsof hij een slim plannetje aan het bedenken is.

'Moerad komt straks,' zei Peter. 'Het wordt al licht. Eerst maar eens horen wat deze meneer hier doet. Yoe Lan, waarom ga jij niet lekker terug naar bed om te slapen?'

'Ja,' zei Yoe Lan aarzelend.

Ineens klonk er een luid gepiep. Geschrokken draaiden ze zich om.

De deur van het zijkamertje ging knarsend open. Amma stond op de drempel en wreef in haar ogen. Ze keek de kamer in, zag de kinderen die half aangekleed bij de bank stonden en de grote donkere man met gele raffia om zijn armen en benen. Ze lachte. 'Koffie,' zei ze vrolijk.

'Koffie?' vroeg Peter verbaasd.

'Goed plan,' zei Josie. 'We gaan toch niet meer slapen.'

Amma lachte naar de man op de bank en liep toen naar het zijkamertje. Ze kwam meteen weer terug, met het rode koffertje in haar uitgestoken handen.

De man op de bank bewoog heftig met zijn schouders. Hij probeerde zijn armen te bewegen, maar die zaten vastgebonden op zijn rug. Toen keek hij blij naar Amma en zei iets in een vreemde taal.

Een beetje ongelukkig schudde Amma haar hoofd.

'Jij verstaat mij niet meer, Amma?' vroeg de man.

Peter keek hem scherp aan. 'Kent u Amma?' vroeg hij.

'Natuurlijk kent hij mij!' riep Amma. 'Het is Kofi! Hij heeft mij het koffertje gegeven! En hij heeft het zelf gemaakt! Waarom heeft hij allemaal touwen aan?'

'Is Kofi je vriend, Amma?' vroeg Josie.

Amma knikte. 'Hij heeft met mij gespeeld. In het vliegtuig.' Ze trok aan het touw dat om Kofi's bovenlichaam was geslagen.

'Misschien moeten we hem losmaken,' zei Peter. 'We hebben ons geloof ik vergist.'

'Dat weet ik nog zo net niet,' zei Josie. 'Waarom

sluipt hij hier rond als een dief in de nacht?' Toen draaide ze zich om, zodat Kofi haar gezicht niet kon zien. 'Hij wil vast de diamanten hebben,' fluisterde ze.

Daar had Peter niet aan gedacht. Kofi was natuurlijk gekomen om het koffertje met diamanten terug te halen. Maar Amma vond het niet leuk dat haar vriend was vastgebonden.

'Haal Woelf,' zei hij tegen Yoe Lan.

'We maken uw handen los,' zei hij tegen Kofi, 'maar als u iets probeert sturen we de hond op u af.'

Yoe Lan kwam terug met Woelf. De hond gromde en trok aan zijn riem. Kofi gromde ook.

'Zit!' zei Yoe Lan. 'En kalm!'

Peter en Josie maakten het touw om zijn armen los.

Kofi ging rechtop zitten. Hij streek de pijpen van zijn pak recht en voelde aan zijn hals.

'Uw das lag buiten,' zei Yoe Lan. 'Ik heb hem opgeraapt. Alstublieft. Hij is een beetje vuil.'

Kofi sloeg de das om zijn hals. 'Altijd kou,' zei hij. Toen keek hij naar het rode koffertje. 'Heb jij... goed op gepast?' vroeg hij.

Amma knikte trots. 'Kijk maar,' zei ze. Ze gaf het koffertje aan Kofi.

Kofi pakte het koffertje met trillende handen aan. Hij maakte het slotje los en haalde Amma's spulletjes eruit. Hij keek naar de kinderen en streek toen over het leer.

'Er zit niks meer in,' zei Amma, 'de di... Au!' Ze keek verbaasd naar Josie. 'Waarom doe je dat? Waarom knijp je me?'

Maar het was al te laat. Kofi keek de kinderen een voor een aan. Toen stak hij zijn hand in het koffertje en voelde de kapotte voering.

'Amma,' zei Kofi, 'wat ging jij zeggen?'

'Ik wou zeggen dat ze de... de dingen eruit gehaald hebben,' zei Amma.

Josie liep naar het raam en trok het gordijn aan de zijkant open. Het schemerde al buiten. Er lag dauw op het grasveld. Ze zag een diertje wegschieten over het terras.

'Bent u hier alleen gekomen?' vroeg Peter na een tijdje. 'Wie zijn die mannen die achter Amma aan zaten?'

'Ik ben alleen,' zei Kofi. 'Wat voor mannen?' Hij keek ongerust naar Amma, en toen naar het koffertje. 'Wie heeft het koffertje gehad?'

'Wij,' zei Peter. 'Wij hebben het leeggehaald.'

Kofi knikte. 'De diamanten,' zei hij.

Woelf begon te kreunen en aan zijn halsband te trekken.

'Er is iemand buiten, geloof ik,' zei Yoe Lan.

Ze waren allemaal stil. Er klonken voetstappen op het tuinpad.

De voetstappen kwamen dichterbij.

Woelf begon te piepen en Yoe Lan legde haar hand om zijn bek.

Toen hoorden ze het vertrouwde geplof van Woelfs staart op de grond. 'Het is Moerad!' zei Yoe Lan.

Josie deed open en Moerad kwam binnen. Hij droeg twee tassen.

'Is het je gelukt om ongezien weg te komen?' vroeg Peter.

'Dat zie je,' zei Moerad lachend. 'Roel snurkte als een os, man, ik hoefde niet eens zachtjes te doen. Ik ben gewoon naar de keukenkast gegaan en heb van alles gepakt voor het ontbijt. En ik heb een briefje neergelegd dat we een ochtendwandeling aan het maken zijn. Dat waren jullie vergeten.'

Hij draaide zich om. Toen pas zag hij Kofi op de bank zitten. Hij keek even naar de vastgebonden knieen, maar vertrok geen spier. 'O, hebben we een gast?' Hij liep naar Kofi toe en gaf hem een hand. 'Ik ben Moerad,' zei hij, 'lust u ook een ontbijtje?'

Nu Moerad er was durfden ze het touw om Kofi's benen wel los te maken. Hij stond op, strekte zijn benen, gaapte en ging aan de eettafel zitten. Amma klom meteen op de stoel naast hem.

'We gaan eerst ontbijten,' zei Peter. 'En dan, Kofi,

zijn we heel benieuwd wat je ons gaat vertellen.'

Kofi keek kwaad naar Peter, maar Amma legde haar handje op zijn knie en glimlachte naar hem. Toen gromde Kofi alleen nog maar een beetje.

Moerad had kaas meegebracht, allerlei zoet beleg en jus d'orange.

Josie zette koffie en thee op tafel. 'Zo, dat ziet er lekker uit!' riep ze. 'Moerad, je bent een tovenaar!'

De tovenaar glimlachte.

'Maar wat is dit?' vroeg Josie. Ze hield een klef soort broodje omhoog.

'Abracadabra, croissant!' zei Moerad trots. Hij zwaaide met een onzichtbaar toverstokje.

Josie trok een vies gezicht. 'Voorgebakken, sukkeltje,' zei ze. 'Dit ding is nog half rauw.'

'Je bent zelf een voorgebakken sukkeltje,' zei Moerad.

Peter gooide de croissants in een grote bakpan en al gauw rook het in het huisje heerlijk naar versgebakken brood.

'Zo, gepiept!' zei Peter. 'Aanvallen!'

Kofi schrok en schoof een eindje achteruit.

'Hij bedoelt: "smakelijk eten",' zei Josie.

'We moeten vóór negen uur thuis zijn,' zei Moerad, toen hij een boterham met pindakaas, chocoladepasta en kokosbrood had weggespoeld met koffie. 'Als Roel gaat ontbijten kunnen wij beter maar terug zijn van onze zogenaamde ochtendwandeling.'

'Goed,' zei Kofi. 'Ik zal beginnen.' Terwijl hij vertelde was iedereen stil, terwijl buiten de vogels zongen en op de snelweg het zondagochtendverkeer goed op gang kwam.

Zo af en toe vulde Peter hem aan, als hij naar een woord zocht. Als hij iets in het Engels zei vertaalde Peter het voor de anderen. Hij pikte heel wat Engels op als hij met zijn moeder op reis was.

En zo kregen ze langzaam maar zeker te horen wat er gebeurd was met Kofi, met Amma, met het koffertje en met de diamanten.

Het verhaal van Kofi

'We hadden een stukje grond,' begon Kofi, 'in het noorden van Ghana, tussen Wa en Bole.' Hij keek rond en zag de vragende blikken. 'Wij, dat waren mijn vrouw Kwamina en ik.' Kofi zweeg en keek naar zijn handen.

'Er stonden papajabomen op ons landje, en de vruchten verkocht Kwamina op de markt. In de regentijd maakten we kleren, tassen en schoenen. Soms kreeg ik een mooi stuk leer te pakken, maar het meeste maakten we van autobanden of van katoen.

Ik maakte ook koffertjes. Als ik veel leer had. De rijke mensen in de stad kochten die koffertjes graag.

Op een dag kwamen er mensen uit Nederland in mijn dorp om een put te graven. Daarbij stuitten ze op een kolom diamanten.'

'Wat is dat?' vroeg Josie.

'Je hebt diamantmijnen,' zei Kofi, 'zoals in Zuid-Afrika. Daar zitten grote hoeveelheden diamant bij elkaar, diep onder de grond. Zoals in steenkoolmijnen. Diamant is eigenlijk ook niets anders dan samengeperste koolstof. En die koolstof ontstaat weer uit vergane plantenresten.'

74

'Dus een diamant is eigenlijk gewoon een verrot plantje?' zei Moerad.

Kofi glimlachte. 'Was iedereen maar zo wijs,' zei hij. 'Hoe dan ook, soms ligt er zo'n kolom diamanten dicht aan de oppervlakte. En door aardbevingen en bouwwerkzaamheden gaan die diamanten aan het schuiven. Je kunt dan zomaar op je akkertje een diamant vinden.'

'Zullen we in je oma's tuin gaan graven, Josie?' stelde Moerad voor.

'Stil nou,' zei Yoe Lan. 'Ik wil naar Kofi's verhaal luisteren.'

'De Nederlanders brachten de diamanten naar ons dorpshoofd. Die liet ze op de markt in de stad verkopen. Er zijn daar handelaars die overal diamanten opkopen en ze in India laten slijpen, omdat ze geslepen veel en veel meer waard zijn. Het dorpshoofd verdeelde de opbrengst onder de inwoners.

Ik raakte bevriend met een van de puttenbouwers, een ingenieur. Ze heette Dora. Ze was heel groot, en blond. Ze vroeg of Kwamina en ik eens in Nederland wilden komen kijken. Maar daar hadden we natuurlijk geen geld voor.

Toen begonnen de dorpelingen op eigen houtje naar diamanten te graven. Soms vond iemand er een, maar eigenlijk werden ze er alleen maar armer van. Het land werd verwaarloosd, al het gewone werk bleef liggen.'

'Ging jij ook graven?' vroeg Moerad.

Kofi schudde zijn hoofd. 'Mijn vrouw had het derde oog. De dag nadat de puttenbouwers de diamanten hadden gevonden, liep Kwamina met de hak over ons landje om een stukje grond te bewerken. Een hak is een werktuig dat boeren bij ons gebruiken. Hier heb ik het nooit gezien. Opeens bleef ze staan. Zonder na te denken begon ze de aarde los te maken, en meteen stuitte ze op een handvol diamanten.'

'O, zo'n vrouw wil ik later ook!' zei Moerad.

Kofi zuchtte. 'Kwamina hoefde maar over ons land te lopen en dan zag ze in de grond de diamanten glinsteren. Ik verkocht een paar diamanten op de markt, en de rest bewaarde ik in mijn huisje, als appeltje voor de dorst. Ja, dat was in dat koffertje. Ik had er een geheim vakje in gemaakt.

Ik hoefde mijn land niet af te graven en te vernielen, zoals mijn dorpsgenoten deden. Kwamina wist precies waar we moesten graven. Zij bleef met onze papaja's naar de markt gaan en we bleven schoenen en tassen maken.

Toen hoorde de regering over onze diamanten. Het land tussen Wa en Bole werd in concessie gegeven.'

'Wat is een concessie?' vroeg Josie.

'Dat is als een mijnbouwbedrijf de vergunning krijgt om op die plek te graven.'

'En de dorpelingen mogen dat dan niet meer doen?' vroeg Peter.

'Nee. Ook niet op hun eigen land,' zei Kofi. 'Er kwam een groot mijnbouwbedrijf uit Zuid-Afrika, DeLeeuw. Zij kregen de vergunning. Niemand mocht meer op eigen houtje zoeken. Er kwamen bulldozers en graafmachines. Al het gewas werd met de grond gelijkgemaakt.

76

De dorpelingen moesten in dienst treden bij de mijn. En al hun huisjes waren vernield. Met het materiaal dat we hadden gered bouwden we hutjes aan de rand van het dorp.

Sommige dorpelingen probeerden diamanten mee te smokkelen uit de mijn, maar als een opzichter van DeLeeuw je betrapte kreeg je gevangenisstraf.'

'Dat is niet eerlijk!' zei Yoe Lan.

'Dat was om de anderen af te schrikken. Er waren twee opzichters. Manie Marais en Kerneel Kotze.'

'Uit Zuid-Afrika,' zei Peter.

Kofi knikte.

'Hoe weet je dat?' vroeg Josie.

'Vanzelf,' zei Peter. Zijn opa had hem een liedje geleerd.

Sarie Mareis
Die zakte door het ijs
En kwam op de bodem terecht
Toen kwam er een krokodil
Die beet haar in haar bil
En Sarie Mareis gaf een gil.

Dat was de Nederlandse versie van een Afrikaans liedje, over de vriend van Sarie, die haar vreselijk miste.

My liewelingspersoon
Sal seker ook daar wees
Om my met een kus te beloon...

'Weet je nog die man op de dijk, die ons wilde tegen-houden?' vroeg hij aan Josie.

'Die zo raar praatte,' zei ze.

'Dat was Afrikaans!' zei Peter. '"Jij moe nie denk nie," zei hij.'

'Stil nou,' zei Yoe Lan.

'Kwamina kon het niet verdragen,' zei Kofi. 'We waren alles kwijt, ons land en ons huisje. Elke dag kwam ze met een meegesmokkelde diamant thuis. Hoe vaak ik haar ook waarschuwde. Ik begreep niet hoe ze het deed, hoe het kwam dat ze niet betrapt werd.

We kregen steeds meer ruzie. En op een dag kwam ze niet meer thuis. Ik hoorde dat ze samenwerkte met Kerneel Kotze. Hij liet haar diamanten de mijn uit smokkelen, die hij in Accra, de hoofdstad, liet slijpen en daarna doorverkocht. Kwamina ging bij Kerneel Kotze wonen.

Elke dag zag ik mijn vrouw bij de mijn, maar ze praatte niet meer met me. Ik weet niet of ze boos op me was, of zich schaamde. Ze was van de ene op de andere dag bij me weggegaan, ze had de diamanten niet eens uit het koffertje gehaald.

Ik verdroeg het niet meer. Ik moest daar weg. Toen herinnerde ik me Dora, de vriendelijke ingenieur. Ik besloot naar Nederland te gaan. Vanuit Nederland zou ik dan proberen in België te komen. In Antwerpen is een grote straathandel in diamanten.

In de stad kocht ik valse papieren, in ruil voor diamanten. Ik vond ook metalen doosjes die de röntgenstralen tegen konden houden, bij de poortjes van de beveiliging. Een paar weken later vertrok ik. In Accra heb ik voor de zekerheid de douane omgekocht.

Bij het inchecken kwam ik mijn achternicht tegen, de tante van Amma. Ze vertelde me dat ze Amma naar familie in Nederland gingen sturen. Die wonen hier illegaal. Mijn achternicht was blij dat ik onderweg een beetje op Amma zou kunnen letten. En ik had een betere manier gevonden om het koffertje op Schiphol door de controle te krijgen. Amma zou het voor me dragen.

Toen ik in het vliegtuig stapte zag ik Manie Marais, de andere opzichter van de mijn. Ik dacht niet dat hij naar mij op zoek was, maar ik wist het niet zeker. Misschien had Kerneel Kotze hem achter mij aan gestuurd. Kerneel wist natuurlijk dat de diamanten die Kwamina gestolen had in mijn koffertje zaten. Maar Kerneel kon zoveel diamanten stelen als hij wilde, wat moest hij met die paar armzalige steentjes van mij?

Op het vliegveld had ik kleurpotloden en andere speeltjes gekocht en die in het koffertje gedaan. Toen we in de lucht waren heb ik het aan Amma gegeven en gezegd dat ze er goed op moest passen.

Zodra het vliegtuig geland was kwam de marechaussee aan boord. Nog voor we bij de douane waren werden Amma en ik en een hele groep andere passagiers opgepakt. De vreemdelingenpolitie was getipt dat er mensen gesmokkeld werden. De meesten zijn meteen weer op het vliegtuig terug naar Ghana gezet.'

'Waarom jij niet?' vroeg Peter.

'Iemand had de marechaussee gebeld over de mensensmokkel, en gezegd dat ik de baas was van de organisatie. Ik denk dat Kerneel Kotze daarachter zat. In elk geval kwam ik in de gevangenis terecht. Mijn papieren waren heel goed gemaakt, maar toen ze eenmaal wisten dat ze vals waren was het niet moeilijk dat te bewijzen.'

'Kon je die Nederlandse vrouw niet om hulp vragen?' vroeg Peter.

'Ik heb haar opgezocht,' zei Kofi. 'Toen ik vrijkwam. Zij heeft me geholpen Amma te zoeken. We kwamen vlak na jullie bij haar schooljuffrouw.'

'We hebben die mevrouw gezien!' zei Yoe Lan. 'Maar jou niet. Jij stapte niet uit.'

'Ik wilde niet dat iemand me zag. Maar ik keek om en herkende het koffertje. Toen heb ik Dora teruggeroepen en zijn we achter jullie aan gereden. Ik zag jullie nog net door het hek van het tuinpark gaan. Ik ben later teruggekomen.'

'Maar het hek is 's avonds dicht,' zei Josie.

'Er kwam iemand met een auto het tuinpark uit rijden. Ik had alle tijd om naar binnen te gaan.'

'Waarom ben je niet gewoon naar ons toe gekomen?' vroeg Josie. 'Het is toch jouw koffertje?'

'Dat was ik eerst van plan. Maar ik was bang dat jullie daarna de politie zouden waarschuwen. Ik wilde proberen het koffertje te pakken te krijgen, de diamanten eruit te halen en weg te gaan. Dan had niemand last van me gehad.'

'Nou, dat is dan mislukt,' zei Peter droog.

'Toen ik jullie de eerste keer zag was de hond er niet bij,' zei Kofi. 'Dat was een tegenvaller.'

'En wat nu?' vroeg Peter.

'Als jullie me de diamanten geven ga ik weg,' zei Kofi. 'Dan horen jullie niets meer van me.'

'Zo gemakkelijk gaat dat niet,' zei Peter. 'Wat deed die man bij Amma's huis? Je hebt een handlanger, hè?'

'Ik heb geen handlanger,' zei Kofi. 'Als Amma wordt gevolgd, dan heeft Manie Marais me misschien toch herkend in het vliegtuig. Maar hoe heeft hij mijn spoor teruggevonden?'

'Is Manie Marais klein en mager?' vroeg Moerad.

'Ja,' zei Kofi verrast. 'Hoe weet je dat?'

'Dat doet er niet toe,' zei Peter. Hij wilde de man niet zomaar in vertrouwen nemen.

'In elk geval,' zei Kofi, 'moet ik zo snel mogelijk met de diamanten naar Antwerpen. Dan kan ik daarmee een nieuw paspoort kopen, en een verblijfsvergunning.'

'Wij hebben eerst iets anders te doen,' zei Peter. 'Geef me je mobiele nummer, en ook dat van die ingenieur, Dora. Dan willen we met haar praten en kijken of we haar vertrouwen en of je verhaal klopt. Misschien dat we je dan de diamanten teruggeven.'

Kofi schreef de nummers op en kwam overeind. Meteen begon Woelf te grommen.

'Zal ik Kofi aan Woelf voorstellen?' vroeg Yoe Lan. 'Dan kan hij vrij rondlopen.'

'Nee,' zei Peter. 'We weten nog niet of we Kofi kunnen vertrouwen.'

'Ik zal je één ding zeggen, Kofi,' zei Josie. 'Die diamanten zijn niet hier. Dus als je het in je hoofd haalt om in te breken...'

81

'Ik wacht tot je belt,' zei Kofi tegen Peter. 'Maar doe het vlug. Als er nog iemand achter Amma aan zit... Ik ben er niet gerust op.'

'Nee,' zei Peter, 'wij ook niet.' Toen zag hij het angstige gezicht van Yoe Lan. Hij liep naar haar toe en sloeg een arm om haar heen. 'Gelukkig hebben we Woelf,' zei hij, 'dus ons kan niets gebeuren.'

Yoe Lan lachte.

Het was een zonnige ochtend. Amma was met Joppie kunstjes aan het doen op het gras. Ze probeerde op haar hoofd te staan, maar ze rolde telkens om. De vier anderen stonden somber te kijken bij het tuinhekje.

'Hé, stelletje oorwurmen!' riep Joppie. 'Zijn jullie daar eindelijk.'

Zodra Kofi weg was hadden ze Joppie opgehaald om even bij Amma te blijven. Ze hadden hem in het kort over Kofi verteld.

'Waarom hebben jullie mij niet wakker gemaakt?' vroeg Joppie teleurgesteld. 'Vechten is veel leuker dan oppassen.'

'Een echte soldaat slaapt licht en wordt wakker als er onraad is,' zei Josie plagend.

'Kijk eens!' riep Amma. Ze liet haar tekening zien. Er stond een vrouw op met stakerige benen en veel te lange armen, die ze om een klein meisje had geslagen. Het kind hield haar armen om de knieën van de vrouw. 'Tante Mina,' zei Amma. Dat stond er ook onder, in grote hanenpoten. *Tate Miena*.

Ze hadden de tekening bewonderd. En toen waren Peter, Josie, Moerad en Yoe Lan vlug naar Huize Boegbeeld gereden. Ze hadden hun fietsen weggezet en waren komen aanlopen alsof ze net een ochtendwandeling hadden gemaakt.

En dat was maar goed ook. Roeland zat in de eet-zaal achter een lege tafel. 'Wat heeft dit te betekenen?' vroeg hij. 'Ik had zin in een uitgebreid zondagochtendontbijt, maar in het hele huis was niemand te vinden!'

'Het was zulk mooi weer,' zei Yoe Lan, 'dat we een ochtendwandeling hebben gemaakt.'

'O, dat stond zeker op dat briefje,' zei de huisvader. 'Ik begreep er niet veel van, het was bijna onleesbaar. Waarom hebben jullie mij niet gewekt? Dan had ik mee kunnen gaan.'

'O nee!' zei Yoe Lan.

'O ja!' riep Josie gauw. 'Dat was leuk geweest. We hebben er niet aan gedacht.'

'Nou ja, jullie zijn op tijd terug om een lekker ontbijt te maken,' zei Roel handenwrijvend. 'Met zachtgekookte eitjes bijvoorbeeld. Of roereieren met spek. En zijn er croissants?'

'Maar wij hebben al zoveel gegeten!' zei Yoe Lan.

Josie keek haar vernietigend aan.

'O ja?' zei Roel. Hij keek de lege en schone eetzaal rond. 'Wat dan? Hebben jullie snoep op je kamers? Ik geloof dat ik maar eens op inspectie ga.'

'We hebben ontbijt meegenomen en onderweg wat gegeten,' zei Peter. 'We wilden meteen op pad.'

'Nou, maar van al dat lopen hebben jullie vast weer trek gekregen,' zei Roel. En hij stond erop dat ze nog een keer ontbeten.

Met lange tanden aten ze een boterham.

Moerad maakte een lunchpakketje voor Amma. 'Dit eet ik later op, meneer,' zei hij tegen Roel.

84

'Je moet er nog van groeien,' zei de huisvader. Hij keek naar de anderen. 'Nemen jullie geen brood mee voor vanmiddag?'

Ze kreunden alleen al bij de gedachte aan eten.

'Mogen we opstaan?' vroeg Peter. 'We zijn nog niet helemaal klaar met de puzzelrit.'

'Vooruit dan maar,' zei de huisvader. 'Op zondag heb ik afruimcorvee, geloof ik.'

Ze waren puffend en met een te volle maag op Peters kamer gaan zitten om te overleggen.

'We moeten Amma zo snel mogelijk ergens onderbrengen,' zei Peter. 'Want vanavond komt iedereen weer terug in het huis en dan kunnen we niet 's nachts wegblijven.'

'Ik kan haar meesmokkelen naar mijn kamer,' zei Josie. 'Als ze zich dan een tijdje verstopt, in de kast of zo, kan ze 's nachts bij mij in bed slapen. Ik heb een kamer voor mezelf.'

'Als we niks beters bedenken dan zal dat wel moeten,' zei Peter. 'Maar zolang ze nog bij ons is kunnen we Jaap niet bellen om te vertellen van die kerels die achter ons aan zitten.'

'We moeten toch wachten tot Kofi vertrokken is met de diamanten,' zei Josie.

Peter knikte. 'Laten we nu eerst die mevrouw van de jeugdzorg opzoeken. Je weet wel, die haar uit de klas heeft opgehaald met de kinderpolitie. We moeten erachter komen waarom Amma niet bij tante Mina mocht blijven, en waarom ze is weggelopen bij het nieuwe pleeggezin.'

'En dan?' vroeg Moerad.

Peter zuchtte. 'Dan zien we wel verder.' Hij pakte het briefje dat juf Elsje hem had gegeven. 'Hier staat de naam van die mevrouw van de jeugdzorg. Roolvink.'

Ze zochten op internet naar de jeugdzorg. Ze vonden adressen van instellingen en ook namen van medewerkers, maar geen Roolvink. In de telefoongids vonden ze er een heleboel, maar omdat ze geen voorletters wisten schoten ze daar niet veel mee op. Toen was het hoog tijd om terug te gaan naar de volkstuin. Ze waren nog niets wijzer geworden.

Ze zetten een paar tuinstoelen op het gras en gingen zitten.

'Amma,' vroeg Peter, 'die mevrouw die je heeft meegenomen naar je nieuwe adres...'

Amma's gezicht betrok. Ze dacht natuurlijk aan de dag dat de politie haar uit de klas had gehaald. En nu wisten ze van Kofi dat ze al eerder met politie te maken had gehad, op het vliegveld.

'Ze heet mevrouw Roolvink,' zei Josie. 'Weet je soms wat haar voornaam was?'

Amma schudde haar hoofd.

'Die mevrouw van de jeugdzorg?' vroeg Joppie.

'Hoe kom je daarbij?' vroeg Peter scherp. 'We hebben jou helemaal niet verteld dat ze van de jeugdzorg is.'

'Mevrouw Roolvink van de jeukzorg,' zei Joppie. 'Dat dacht ik vroeger, dat het zo heette. Want alles kriebelde me altijd en daarom stuurde de dokter me naar de jeugdzorg. De jeugdzorg vond dat die kriebel door mijn opvoeding kwam, en mijn moeder zei, ik maak die jeuk toch niet, ik ben geen vlo.'

'Ja ja,' zei Peter ongeduldig. 'Roolvink dus.'

'Die mevrouw Roolvink vond dat ik naar een speciale school moest,' zei Joppie. 'En na schooltijd naar een speciaal... iets speciaals. Ik ben ook een keer bij haar thuis geweest. Ik weet het nog, want ik moest vingerverven. En daar werd ik misselijk van, zo nattig en klef is dat.'

'Joppie, je bent geweldig!' zei Peter.

Joppie stak zijn hand uit. 'Dat is dan vier euro.'

'Wil je ons wijzen waar het is?' vroeg Peter. 'Waar die Roolvink woont?'

'Op de Westrandweg,' zei Joppie. 'Mag ik mijn katapult meenemen om haar ruit kapot te schieten?'

'Nee,' zei Peter, 'dat mag je niet. Goed, Yoe Lan blijft met Woelf hier om op Amma te passen. Amma, we hebben je koffertje nodig.'

'Nee!' riep Amma.

'Je krijgt het weer terug,' zei Peter.

'Nee!' gilde Amma. Ze rende naar binnen om haar koffertje te pakken.

'Ik weet wat,' zei Moerad toen ze terug was. 'Wacht even.' Hij haalde een stuk papier en tekende er een doodshoofd op. 'We doen dit in het lege koffertje,' zei hij. 'Het is een vloek. Als iemand het koffertje opendoet schrikt hij zich rot en geeft het meteen terug. Snap je?'

'Ze weet niet wat een vloek is,' zei Yoe Lan, die het zelf ook niet precies wist.

Moerad deed net alsof hij een koffertje openmaakte

en sprong toen met een schreeuw achteruit. Het onzichtbare koffertje gooide hij van zich af.

Amma lachte. 'Vloek,' zei ze. Ze haalde haar koffertje leeg. Ze gaf het aan Moerad, die het doodshoofd erin stopte.

'Joppie, haal je fiets en zeg dat je met Josie en met ons gaat fietsen,' zei Peter.

Joppie salueerde. 'Tot uw orders, generaal,' zei hij.

Ze pakten hun fiets. Moerad deed het koffertje achterop.

'Ik pas goed op je koffertje,' zei hij tegen Amma. Hij kruiste zijn vingers. 'Of anders: moge de vloek over mij komen!' Hij brulde en zette een angstig gezicht. Hij trok zulke gekke bekken dat iedereen in de lach schoot.

Toen Josie, Peter en Moerad allang de laan uit waren schaterden Amma en Yoe Lan nog.

Woelf stond er vol verbazing naar te kijken.

'Ik ben weg,' zei Joppie, zodra hij het huis had aangewezen. 'Ik ga niet mee naar binnen. Mij niet gezien.
Als Roolvink mij ziet wil ze me weer opvangen. Dan
zegt ze dat ik in de jeugdopvang thuishoor of op de
naschoolse opvang of op de *speciale* opvang. Waarom
moet ze mij opvangen? Niemand gooit met mij.' Hij
zoefde weg op zijn crossfiets.

Toen mevrouw Roolvink opendeed waren ze eigenlijk verbaasd dat ze er zo aardig en gewoon uitzag, na
de verhalen van Joppie. Ze was een jaar of veertig en
tamelijk mager. Ze had blonde krulletjes en ze droeg
een bril met gouden randjes.

'Ja?' zei ze vragend.

'Wij zijn buurkinderen van Amma,' begon Peter.
'Neem ons niet kwalijk dat we u op zondag storen...'

Het gezicht van mevrouw Roolvink verstrakte zodra ze de naam van Amma hoorde.

'Ze heeft laatst haar koffertje bij ons laten liggen,'
zei Josie. 'Toen ze bij ons kwam spelen.'

Moerad hield het koffertje omhoog.

Mevrouw Roolvink stak onmiddellijk haar hand uit.
'O, dat is heel aardig van jullie, dat jullie dat komen
brengen. Dank je wel.'

Maar Moerad hield het koffertje stevig vast. 'Wij
willen het haar gaan brengen,' zei hij.

'Dat zal niet gaan,' zei mevrouw Roolvink scherp. 'Het spijt me, jongen. Geef het nu maar hier.' Ze pakte het koffertje met twee handen beet en trok.

De drie kinderen keken elkaar aan. Ze begonnen Joppie beter te begrijpen. In de blauwe ogen van mevrouw Roolvink was een ijzig lichtje verschenen. De knokkels van haar handen waren wit van inspanning.

Moerad maakte een vlugge draaiende beweging met het koffertje en rukte het los. Hij hield het achter zijn rug.

'Wij houden veel van Amma,' zei Josie, 'en wij zouden het vreselijk vinden als haar lievelingskoffertje in een la verdween.'

'Hoe bedoel je, in een la?' zei mevrouw Roolvink scherp.

'Nou,' zei Peter, 'het schijnt dat er bij u nogal eens papieren en spullen in een la verdwijnen en dan jaren later weer opduiken.'

'Die familie heeft gepraat,' zei mevrouw Roolvink boos. 'Daar ga ik werk van maken.'

'O nee hoor, mevrouw,' zei Peter beleefd. 'De familie, tante Mina bedoel ik, die zegt niets. Helemaal niets. Het is wel duidelijk dat dat gezin niet deugt. Er gebeuren vreselijke dingen in dat huis, maar dat weet u zelf ook wel.'

'Er gebeurde niets,' zei mevrouw Roolvink. 'Niets verkeerds.'

'Ik geloof nooit dat u zomaar kinderen weghaalt bij families die niets verkeerds doen.'

'Geef nu dat koffertje,' zei mevrouw Roolvink, 'ik heb meer te doen.'

'Ja,' zei Peter. 'U hebt het er maar druk mee, al die kinderen overal weghalen.'

'Wij willen dat koffertje naar Amma's nieuwe huis brengen,' zei Josie, 'en kijken hoe het met haar gaat. Ze is vast vreselijk geschrokken toen ze door de politie van school werd gehaald.'

'Daar is ze inmiddels niet meer,' zei mevrouw Roolvink, 'in het nieuwe gezin.'

'O,' zei Peter, 'dus nu hebt u haar alweer ergens anders heen gebracht? Nou, nou, wat een afwisselend leventje heeft ze toch gekregen.'

'Ze is spoorloos verdwenen,' zei mevrouw Roolvink met tegenzin. Ze begon de deur dicht te doen.

'Dat zal de politie leuk vinden,' zei Josie, 'dat u belangrijke informatie achterhoudt.'

'Wat voor informatie?' vroeg mevrouw Roolvink.

'Wij weten misschien wel waar Amma is,' zei Josie.

Peter en Moerad keken haar boos aan.

'Als je iets weet moet je meteen naar de politie gaan!' zei Roolvink.

'Maar misschien weten wij het ook niet,' zei Josie. 'Wie zal het zeggen. In elk geval, als wij van u niet het adres van Amma's nieuwe pleeggezin krijgen, dan weten wij het *zeker* niet.'

Een tijdje was het stil. De priemende ogen van mevrouw Roolvink gingen van de een naar de ander. 'Het is ons beleid,' zei ze langzaam, 'dat we kinderen onderbrengen in een gezin van hun eigen cultuur. Maar jullie zijn te jong om dat te begrijpen.'

'Dat begrijpen we best,' zei Peter. 'U bedoelt het goed. En we beloven dat we hier terugkomen als we bij dat adres geweest zijn. Wij kennen allerlei mensen die Amma nog gezien hebben.'

'Ik kan de politie op jullie afsturen,' zei mevrouw Roolvink. 'Jullie weten iets.'

'Dan zeggen wij niets meer,' zei Peter, 'net als de familie van tante Mina.'

Mevrouw Roolvink verdween naar binnen en kwam terug met het adres. 'Het is een Somalische,' zei ze. 'Mevrouw Warsame.' Ze gaf het papiertje met een verbeten gezicht aan Peter. Hij keek er even naar en stak het toen in zijn broekzak.

'Nou, het is in de Poelstraat,' zei Peter toen de voordeur met een klap was dichtgeslagen. 'Weer helemaal de andere kant op. Laten we meteen maar gaan.'

'Poeh!' zei Peter toen ze wegfietsten. 'Wat een akelig mens. Hier ben ik niet voor gemaakt!'

'Ik dacht juist van wel,' zei Josie. 'Je bent volgens mij heel geschikt om met vreselijke vrouwen te bekvechten.'

'Ja Peter...' begon Moerad.

'Niet zeggen,' zei Josie.

'Niet wat zeggen?' vroeg Moerad.

'Niet zeggen dat Peter op mij heeft geoefend,' zei Josie. Ze ging op de trappers staan en reed heel hard voor de jongens uit.

Poelstraat nummer 14, waar mevrouw Warsame woonde, was op de onderste verdieping van een groot, verwaarloosd flatgebouw. Hier en daar waren de ruiten gebroken en was er een stuk karton of hardboard tegen het raam geplakt. Op alle balkons en vensterbanken stonden afgeschilferde schotelantennes.

'Het glasvezelnet heeft deze wijk nog niet bereikt,' zei Peter.

'De stadsreiniging ook niet,' zei Josie.

Het voortuintje van de benedenwoning was niet meer dan een lapje onkruid met glas en stenen en ander afval ertussen, en zwermen vliegen. Geweldig veel vliegen. Er stond geen heg omheen en er was ook geen hekje. Ze liepen over een verzakt tegelpaadje naar de voordeur.

Josie, Peter en Moerad bleven staan en keken naar het planten- en dierenleven vlak voor hun opgetrokken neus.

'Het stinkt hier,' zei Josie.

'Dat is eten,' zei Moerad. 'Kijk maar.' Uienschillen, restjes fruit en kwakjes rijst lagen her en der weg te rotten in het groen.

'Die mevrouw woont nog niet lang in Nederland,' zei Moerad.

'Hoe weet je dat?' vroeg Peter.

'Ze voert de geiten.'

'Maar er zijn hier helemaal geen geiten!' zei Josie.

'Dat bedoel ik,' zei Moerad. 'Daar is ze nog niet helemaal achter.'

'Ploef!' Een enorme kledder viel op Peters hoofd. Vogelpoep, of zoiets.

'Hé!' schreeuwde hij.

Ze keken omhoog. Op het balkon van de eerste etage stond een vrouw. Ze had net de inhoud van een grote pan over Peter heen gegooid, en nu schraapte ze de laatste restjes eruit. Ze zag Peter niet en ze hoorde hem niet schreeuwen. Toen de pan leeg was ging ze weer naar binnen.

'Kom maar hier,' zei Josie. Ze trok haar sweater uit en gebruikte die als handdoek. 'Wat is dit in hemelsnaam? Pap? Griesmeel? Couscous?'

Ze probeerde de smurrie weg te vegen, maar daar werd het alleen maar erger van. 'Het is wel goeie gel,' zei ze. 'Hier in je nek zit ook nog wat.'

Toen vouwde ze haar sweater op en ging hem onder haar snelbinder stoppen. 'Mevrouw Warsame is kennelijk thuis,' zei ze toen ze terugkwam, 'laten we aanbellen.' Ze keek naar de voordeur waar de verf afbladderde. 'Bij tante Mina leek het me gezelliger.'

Moerad belde aan.

De deur ging open. 'Komen,' hoorden ze roepen.

Ze liepen de trap op. In het halletje was niemand te zien. Ergens stond een televisie aan. Ze gingen op het geluid af.

'Hier is het, denk ik,' zei Josie. Ze deed een deur open en keek naar binnen.

94

In het midden van een schemerige kamer zagen ze de vrouw staan die de pap over Peter had uitgestort. De lege pan stond nog op de eettafel, met drie volle kommen ernaast.

De vrouw draaide zich om toen ze de kamerdeur open hoorde gaan. Ze keek verschrikt naar de drie kinderen die in de deuropening stonden. Ze had kennelijk ander bezoek verwacht.

In de hoek van de kamer stond een televisie te brullen. Er was een tekenfilm op. Op de bank ervoor zaten drie kinderen. Ze draaiden hun donkere kopjes opzij om naar hen te kijken.

'Goedemorgen, mevrouw Warsame,' zeiden Josie, Peter en Moerad in koor.

'Wie... Wat...?' vroeg de vrouw.

'Wij zijn vrienden van Amma,' zei Josie. 'We komen haar koffertje brengen.'

De vrouw stak haar hand uit.

'Ik geef het liever zelf,' zei Josie. 'Waar is ze?'

'Amma... niet hier,' zei de vrouw.

'Amma is weggelopen,' zei het middelste kind, een jongen van een jaar of acht. 'Ze was hier nog maar net. Ze wou terug naar haar eigen huis.'

De twee andere kinderen knikten. 'Naar haar oom en tante,' zei het ene meisje. 'Dat heeft ze ons verteld.'

'En naar haar eigen school,' zei de jongen. De meisjes knikten nog een keer en toen keken ze alle drie weer ernstig naar de avonturen van Tom en Jerry.

De vrouw keek vragend van de drie kinderen op de bank naar het bezoek. Ze leek niet veel van het gesprek te begrijpen. 'Niet hier,' zei ze nog eens.

'O,' zei Josie plotseling, 'mevrouw, mag ik even naar de wc? Ik moet zo nodig.'

'Wc?' vroeg mevrouw Warsame onzeker.

De kinderen op de bank giechelden.

'Toilet,' zei Josie. 'Plassen.'

De vrouw wees aarzelend naar het halletje.

Peter en Moerad wisten niet wat ze nog meer moesten zeggen. Ze hoefden niet te vragen waarom Amma weggelopen was.

Moerad liep zo onopvallend mogelijk naar de tafel en keek in de kommen. Er zat een soort stijve smurrie in, griesmeel of iets dergelijks, met hier en daar een velletje of een bruin sliertje. De pan was aangebrand.

Het duurde lang voor Josie uitgeplast was. Heel erg lang. Wat was ze aan het uitspoken?

'Zullen we dan maar weer?' vroeg Peter toen ze eindelijk terug was in de kamer.

Ze wilden mevrouw Warsame een hand geven, maar die stapte verschrikt achteruit en deed haar handen op haar rug.

Toen zwaaiden ze maar zo hartelijk mogelijk naar de kinderen.

Bij de kamerdeur draaide Moerad zich om. 'Lusten jullie geen pap?' vroeg hij. De kinderen op de bank schudden alle drie heftig hun hoofd.

Het duurde lang voor mevrouw Roolvink opendeed, maar toen was ze wel opvallend vriendelijk.

'Ha, daar zijn jullie weer,' zei ze erg hartelijk voor haar doen. 'Komen jullie alsjeblieft even binnen. Jullie willen vast wel iets drinken.'

De huiskamer was groot en licht, en keek aan de achterkant uit op een diepe tuin. De open keuken was voor, aan de straatkant. Terwijl mevrouw Roolvink iets te drinken pakte, praatte ze gewoon door.

'Ik zie dat jullie het koffertje nog hebben,' zei ze. 'Was er niemand thuis?'

Geen van drieën gaf antwoord. Omdat Peter bleef staan gingen Josie en Moerad ook niet zitten. Ze dronken hun cola staande op.

'Mevrouw Roolvink,' zei Peter, 'u zei dat kinderen zoals Amma ondergebracht moeten worden bij gezinnen van hun eigen cultuur.'

'Dat heb je goed onthouden, jongen,' zei mevrouw Roolvink, nog steeds heel vriendelijk. 'Hoe is je naam trouwens?'

'Wij hebben daar bij die mevrouw helemaal geen cultuur gezien,' zei Peter.

'Ik heb overal in de flat rondgekeken,' zei Josie. 'De kinderen hebben geen boeken, geen speelgoed, niks. Niet op de slaapkamers, niet in de huiskamer, en ook niet in de kasten.'

97

'En niet op de wc,' zei Moerad. Hij begreep nu pas waarom Josie zo nodig had moeten plassen. Ze was op verkenning uitgegaan.

Mevrouw Roolvink zuchtte. 'Het is heel moeilijk om goede plaatsen te vinden in pleeggezinnen. Ik zal daar met jullie heel open over zijn. Jij bent een verstandige jongen, eh... hoe zei je ook weer dat je heette?'

'Dat zei ik niet,' zei Peter.

'Hoe dan ook,' zei mevrouw Roolvink, 'als Amma straks teruggaat naar Ghana, en dat zal zeker gebeuren, dan is het niet goed voor haar als ze helemaal vernederlandst is.'

'En die andere drie kinderen,' zei Peter, 'die zitten zich daar ook maar een beetje te vervelen tot ze teruggestuurd worden?'

'Dat is juist,' zei mevrouw Roolvink.

Moerad kon het niet meer aanhoren. Hij pakte de lege glazen van de salontafel en bracht ze naar de keuken. Toen hij ze met een smak op het aanrecht zette keek hij toevallig naar buiten. Aan het eind van de straat zag hij een politieauto de hoek om komen. Hij draaide zich om naar de anderen.

'Daar is de politie,' zei hij. 'Ik weet niet of het iets met ons te maken heeft, maar...'

Mevrouw Roolvink glimlachte triomfantelijk. 'Hèhè, eindelijk,' zei ze.

Peter, Josie en Moerad keken elkaar aan. Toen renden ze naar de tuindeur. Peter draaide de sleutel om die aan de binnenkant in het slot zat. Hij gooide de deur open.

Ze holden over het grasveld naar de schutting. Peter ging bok staan voor Moerad en Josie. Die zetten een voet op zijn rug en hesen zich omhoog. Aan de andere kant van de schutting tuimelden ze op de grond.

Peter keek om zich heen en zag een compostbak staan. Hij reed de bak tot onder de schutting. Hij hing net boven op de schutting toen er een politieagent door de tuindeur kwam.

'Ho!' riep de agent.

'Ho!' groette Peter terug, en hij liet zich snel vallen.

Ze renden om het blok huizen heen naar de voorkant. Peter stak voorzichtig zijn hoofd om de hoek. Hij zag net de laatste agent de auto afsluiten en door de voordeur naar binnen gaan.

'Vlug!' fluisterde Peter. Met hun sleuteltjes in de aanslag renden ze naar hun fietsen, haalden ze van het slot en raceten weg.

'Hé!' hoorden ze roepen. Ze keken achterom. Een van de agenten was weer door de voordeur naar buiten gekomen.

Ze trapten hun benen haast uit hun lijf, maar de Westrandweg was lang, en de politieauto was sneller dan zij.

Ineens hoorden ze een luid geknal. Ze keken om. Uit een zijstraat scheurde een brommer de weg op. De berijder remde en maakte een geweldige zwieper, terwijl de banden over het asfalt gierden. Precies voor de politieauto kwam de brommer tot stilstand. Nog meer piepende remmen.

'Hierin,' zei Josie, 'vlug!' Het was een smal fietspaadje langs een sloot. Het kwam uit op een groot recreatiebos. Op het pad konden geen auto's rijden; er stonden paaltjes voor. Ze reden een eindje het bos in en stapten af.

'We hebben een beschermengel,' zei Moerad. Hij veegde het zweet van zijn voorhoofd.

'Laten we ons verspreiden,' zei Peter. 'De politie zoekt naar drie kinderen op fietsen. Bovendien hebben ze maar één auto. We gaan allemaal een andere kant op en zien elkaar op de volkstuin.'

Josie was de enige die een politieauto zag. Ze reed op het fietspad naast een straatweg. De agent die aan het stuur zat kwam naast haar rijden. Zijn collega's keken aandachtig naar haar.

Help, dacht Josie, wat nu? Misschien hadden ze haar herkend. Maar ze aarzelden nog, anders hadden ze haar wel een teken gegeven dat ze moest stoppen.

Op het fietspad een eindje voor haar uit reed een luidruchtig groepje jongens met sporttassen achterop en bungelende voetbalschoenen aan de bagagedragers. 'Joehoe!' riep Josie. 'Wacht even op mij!' Een paar jongens keken om en gingen langzamer rijden. Josie haalde het groepje in en begon een praatje.

De politieauto reed door.

Josie was als eerste terug in de tuin.

Amma en Yoe Lan zaten op het gras te tekenen, met Woelf als kussen in hun rug. Amma maakte nog een tekening van tante Mina.

Joppie was zich aan het opdrukken. 'Eenentachtig... tweeëntachtig... Ik heb mijn moeder over Amma verteld. Ze zegt dat Amma zolang bij ons kan logeren. Vijfentachtig.' Hij kwam overeind en veegde met zijn mouw over zijn voorhoofd.

'Ik had niet aan Lisette gedacht,' zei Josie. 'Je moeder zal niet naar de politie gaan.'

'Nee,' zei Joppie. 'En ze houdt ook niet erg van de jeugdzorg.'

Even later waren de anderen er ook. Peter ging met een somber gezicht op het terras zitten.

Moerad kwam naar buiten met een dienblad met thee en een schaaltje gevulde koeken. 'Vanmorgen maar vast meegenomen uit de provisiekast,' zei hij trots. 'Amma, heb je al gegeten?'

'Ik heb honger,' zei Amma.

Moerad ging brood voor haar pakken uit zijn lunchpakket. 'Wil iemand anders nog een boterham van mij?' vroeg hij.

'Van jou?' vroeg Josie met een vies gezicht. 'Ik rammel nog liever van de honger. Maar ik heb vanochtend genoeg gegeten.'

Peter en Yoe Lan zaten ook nog vol, na hun dubbele ontbijt.

Amma pakte de boterham aan en nam een hap, zonder op te houden met tekenen. Het was maar goed dat ze er niet op lette wat ze in haar mond stak. Moerad had nu eenmaal een heel eigen kijk op broodbeleg. Deze boterham was belegd met pindakaas, stroop en hagelslag.

Yoe Lan was uit het gras opgestaan. 'Blijf, Woelf,' zei ze toen de hond achter haar aan wilde komen. 'Jij bent Amma's rugleuning.' Ze kwam op het terras zitten omdat ze wilde horen wat de anderen zeiden.

Peter vertelde haar wat ze te weten waren gekomen bij mevrouw Roolvink en mevrouw Warsame, de laatste pleegmoeder van Amma. Als je haar zo kon noemen. De politie liet hij maar weg, om Yoe Lan niet bang te maken.

'Peter,' zei Josie voorzichtig, 'we hebben misschien een oplossing voor Amma, voorlopig. Joppie zei dat ze bij hem en Lisette kan logeren, dat is Joppies moeder. Hier op de tuin.'

Joppie knikte.

'Geen sprake van,' zei Peter. 'Als Joppies moeder hoort dat Amma weggelopen is en dat iedereen naar haar op zoek is, belt ze meteen de politie.'

'Dat doet ze niet,' zei Josie. 'Ze vindt het heel erg dat Amma weggehaald is bij haar tante Mina.'

'Hoe weet ze dat?' vroeg Peter.

'Ik heb verteld dat jullie Amma verstoppen,' zei Joppie heldhaftig. 'En ook waarom jullie dat doen. Ze werd heel erg boos.'

'Daar heb je het al,' zei Peter.

'Heel erg boos op de politie en op de jeugdzorg. Vooral op mevrouw Rioolvink, zei ze.'

'Boebebee,' zei Moerad. Hij at vlug zijn mond leeg. 'Goed idee, bedoel ik. Dat Amma bij Joppies moeder blijft logeren.' Hij nam nog een flinke hap uit zijn broodje Moerad Speciaal. Hij had zijn boterham met pindakaas en chocopasta opengeklapt en de gevulde koek ertussen gelegd. Helemaal niet slecht, besloot hij kauwend.

'Het geeft ons wel wat meer tijd,' zei Peter aarzelend, 'als Amma nog een nacht onder dak is. Maar tijd voor wat?'

'Waarom gaan we niet naar de krant?' vroeg Moerad. Als zijn maag gevuld was kon hij altijd beter nadenken. 'De pleegfamilie van Amma heeft een spreekverbod. Maar wij niet. Wij kunnen alles vertellen wat we weten. En als we een foto van Amma meesturen naar de krant dan weten ze dat het waar is wat we zeggen.'

'Wat zeggen we dan?' vroeg Josie.

'Dat Amma naar tante Mina terug wil, en niet naar dat andere pleeggezin, en waarom.'

'Heb je je gsm bij je?' vroeg Peter.

Moerad knikte.

'O ja, dan maken we daarmee een foto van Amma met de krant van vandaag in haar hand!' riep Josie. 'Dat doen ontvoerders ook altijd. Dan kan iedereen zien dat het geen oude foto is.'

'Er is geen krant, het is zondag,' zei Peter. 'En bovendien zijn we ook ontvoerders. En dat idee bevalt me helemaal niet.'

103

'Wij zijn de ontvoerdersbende van de Zwarte Hond,' zei Yoe Lan.

Woelf spitste zijn oren en kwispelde.

'Ik weet nog wat,' zei Yoe Lan. 'We sturen de tekening van Amma mee. Haar tekening van tante Mina.'

'Een kopie van de tekening,' zei Moerad. 'Amma is nogal zuinig op haar spullen, geloof ik.'

'En dan?' vroeg Peter.

'En dan niks,' zei Yoe Lan. Het was maar een idee, dacht ze. Maar het sloeg natuurlijk weer nergens op. 'Als mensen die tekening zien, dan weten ze dat Amma naar huis wil.' Ze haalde haar schouders op.

'Ik geloof niet dat Roolvink zich er iets van aantrekt,' zei Josie, 'of Amma naar huis wil of niet.'

'Misschien heeft mevrouw Roolvink nog mensen boven zich,' zei Moerad. 'Zij is toch niet de baas van die jeugdzorg? Er is natuurlijk een directeur. En die kan besluiten dat Roolvink het fout heeft gedaan.'

'Zij doet alleen maar wat ze moet doen,' zei Peter. 'Zo is het beleid.'

'Nou, ik vind het een heel goed idee van Yoe Lan,' zei Moerad.

'Je hebt gelijk,' zei Peter. 'Het is in elk geval het beste plan dat we hebben.'

'Ik ga afwassen,' zei Josie. 'We moesten het huisje netjes achterlaten, zei mijn oma. Als jullie dan het bed afhalen en de kamer opruimen.'

Moerad trok het laken van het grote bed en hing het over de deur, als achtergrond voor de foto. 'Dit is camouflage,' zei hij. 'Zo kan niemand zien waar de foto genomen is. En waar is die krant waar ze in staat?

Dan maar niet de krant van vandaag.'

Peter bracht hem de krant en ging toen de tuinstoelen opbergen. Yoe Lan vouwde de dekens op.

Moerad ging als een echte portretfotograaf aan het
werk. Hij vouwde de krant zo open dat de kop MEIS-
JE VERDWENEN goed zichtbaar was. Hij riep Amma,
legde uit wat de bedoeling was en zette haar voor het
laken met de krant in haar hand. Het rode koffertje
hield ze in haar andere hand. Hij drukte af. Even later
bekeken ze samen de foto.

'We zetten in de krant dat jij naar tante Mina wilt,'
zei Moerad tegen Amma.

'Goed,' zei Peter. 'Laten we aan het werk gaan. Ik
mail de brief naar de krant. Josie en Moerad gaan de
tekening kopiëren en de foto afdrukken en alles naar
de krant en Stadsteevee brengen.'

'En ik?' vroeg Yoe Lan.

'Jij gaat met Amma naar Joppies moeder om te zeggen dat we haar aanbod aannemen en dat Amma bij
haar komt logeren,' zei Josie.

'En Woelf?' vroeg Yoe Lan. 'Wat moet hij doen?'

'Woelf gaat met jou en Amma mee naar Joppies
moeder,' zei Peter, 'en hij past op haar en vrolijkt
haar op. Amma bedoel ik natuurlijk, niet Joppies
moeder.'

'Ja,' zei Yoe Lan. 'Want hij hoort ook bij de Bende
van de Zwarte Hond.'

'Natuurlijk,' zei Moerad, 'de Bende is naar hem genoemd.'

Woelf kwispelde. Het is altijd fijn als er een bende
naar je wordt genoemd.

Op zondagavond was het in Huize Boegbeeld heel gezellig aan tafel. De kinderen van het internaat hadden hun ouders of pleeggezin opgezocht, en ze zaten vol verhalen over uitstapjes en nieuwe kleren.

Elize, de verzorgster die dienst had, was goed uitgerust na het vrije weekend en niet zo chagrijnig als soms door de week.

Alleen aan de tafel van Peter, Moerad, Josie en Yoe Lan was het stil. Ze durfden niet over hun avontuur te praten waar de anderen bij waren. En als ze het over iets anders hadden konden ze makkelijk hun mond voorbijpraten.

'Was het hier in het weekend nog een beetje uit te houden, Moerad?' vroeg Ari, die aan de tafel naast hen zat.

'Saai man,' zei Moerad.

'Het nieuws op Stadsteevee begint zo,' zei Peter even later zachtjes. 'Welk tafelgroepje is vanavond de baas over de afstandsbediening?'

Op zondagavond en door de week mocht elk tafelgroepje één avond het programma uitzoeken waar in de huiskamer naar gekeken kon worden.

'De groep van Vincent,' zei Josie. 'Ik heb net op het bord gekeken.'

'Die koop ik wel om,' zei Moerad. 'Ik maak zijn re-

106

kensommen altijd, daar bakt hij niks van.'

'Koop je zijn hele tafelgroepje om?' vroeg Peter. 'En moet iedereen in de huiskamer dan meekijken als wij Amma op het nieuws willen zien? Dat is wel een beetje verdacht.'

Yoe Lan stond op. 'Ik vraag wel of we bij de huisvader mogen kijken.'

'En wat voor smoes heb je dan?' vroeg Josie.

'Het is voor de puzzelrit,' zei Peter. 'Eh... de oude molen. Ze gaan daar een flat bouwen en dan vangt de molen geen wind meer. Daar willen we een vraag over stellen.'

'Het mag,' zei Yoe Lan toen ze terugkwam. 'Roeland kijkt zelf ook naar het stadsnieuws.'

'Denk eraan, jullie,' zei Peter, 'niet opeens roepen dat je Amma ziet, of zo.'

'Vooral jij, jij bent zo'n flapuit,' zei Josie tegen Yoe Lan.

'Nietes,' zei Yoe Lan. 'En als ik het niet aan Roel gevraagd had hadden jullie helemaal niet kunnen kijken.'

'Goed zo,' zei Moerad. 'Steek die maar in je zak, Josie.'

'Sst!' zei Peter. Ze zaten op Roels kantoor. Het nieuws begon.

Ze hadden de paperassen die op de bank lagen op de grond gelegd. Ze keken vol spanning naar een wethouder die over het verkeer praatte, en naar een basisschool die vijftig jaar bestond en dat de volgende dag ging vieren. En opeens vulde de foto van Amma, in haar mooie rode jurkje en met het koffertje, het hele scherm, precies op het ogenblik dat de huisvader gehaast zijn kantoor binnen liep.

'Is het al...' begon hij.

'Stil!' riepen ze alle vier nogal onbeleefd.

'Nou, nou,' zei Roel terwijl hij ging zitten, 'het is wel mijn...'

'Sst!' zei Yoe Lan smekend.

'*...meisje dat spoorloos verdwenen was schijnt in veiligheid te zijn. We ontvingen een brief, met deze recente foto, en een tekening...*'

De tekening van Amma kwam in beeld.

'Ja! Dat herinner ik me,' zei Roel. 'Het stond laatst in de krant. Is dat niet dat weesmeisje...'

'Menéér!' zei Moerad. Maar het nieuwsbericht was al afgelopen. Ze hadden een heel stuk gemist.

Josie stond op.

'Wat doe je?' siste Peter. 'De molen moet nog komen.'

'Molen?' vroeg Josie dom.

'Er zou iets over de molen komen,' zei Peter. 'Voor onze...'

'Stil jullie!' zei de huisvader. Er was nu iets op het nieuws dat hém interesseerde.

'Jammer dat er niks over de molen was,' zei Peter toen ze weggingen. 'En bedankt, meneer.'

Roel bromde iets. Misschien was hij nog steeds een beetje beledigd.

Ze gingen bij Peter op de kamer zitten om het nieuws te bespreken.

'Ik koop morgen een paar kranten,' zei Peter. 'We

zien elkaar na school bij Joppie in de tuin. Amma zal ons wel missen.'

Yoe Lan gaapte. Daarna begon Josie. Ze gingen naar beneden om welterusten te zeggen.

'Gaan jullie uit jezelf naar bed?' zei Roel verbaasd. 'Dat mag ook wel op het nieuws.'

'Jongens, het staat allemaal in de krant!' zei Peter. 'Alles wat we ze gestuurd en geschreven hebben.' Hij zwaaide met *Het Stadsnieuws* in het rond alsof het een vlag was.

Het was maandagmiddag, na vieren. Ze waren zoals ze hadden afgesproken meteen uit school naar Joppie gegaan. Zijn moeder moest werken. Zodra de kinderen er waren, was ze vertrokken.

Zondagavond had Josie de sleutel van het huisje en de gebruikte lakens, slopen, handdoeken en theedoeken teruggebracht naar haar oma.

Peter had Dora opgebeld, de ingenieur met wie Kofi bevriend was. Ze had Kofi's verhaal bevestigd en ze hadden zo lang gepraat dat Peter had besloten haar te vertrouwen. Daarna had hij Kofi gebeld om te zeggen dat hij de diamanten kon komen ophalen.

De tuin van Joppies moeder lag tussen twee andere tuinen in en niet zo afgelegen als die van Josies oma, maar aan weerskanten was een hoge heg.

Voor in de tuin, aan het eind van het tegelpaadje, nam de boomhut van Joppie met alle bouwsels eronder en eromheen het zicht op het laantje weg.

Ze zaten op plastic stoeltjes op het terras. Moerad had de luie ligstoel voor zichzelf gereserveerd. Het was zo'n houten geval met een zitting van stof. Hij zette de achterleuning in de laagste richel van het onderstel, zodat hij bijna languit lag.

'Dat ben ik!' zei Amma. Ze leunde tegen de stoel van Yoe Lan en wees naar haar foto, die boven aan pagina drie van de krant stond.

'Laat zien! Lees voor!' riepen ze door elkaar.

Alleen Yoe Lan zei niets. Ze miste Woelf. Ze had geen tijd gehad om hem te halen.

Eerst las Peter zijn eigen brief nog eens voor:

Amma, het Ghanese meisje dat sinds vorige week vermist wordt, is veilig. Ze wil terug naar haar eigen pleeggezin. Ze heeft onderdak gevonden in ons clubhuis. U hoort nog van ons.

De Bende van de Zwarte Hond

De brief stond in zijn geheel in de krant. Erboven stond Amma's foto. En eronder haar tekening.

Er was een kort interview met mevrouw Roolvink van de jeugdzorg, die zei dat de politie de kidnappers op het spoor was en dat ze verder 'geen commentaar' had.

'Politie,' zei Amma angstig.

'Ze zijn ons op het spoor,' zei Josie. 'Zien jullie al wat komen?'

'Waar?' vroeg Amma angstig.

'Nee hoor,' zei Moerad. 'Dat was een grapje.' Hij keek boos naar Josie.

Precies op dat ogenblik reed er een brommer voorbij op het laantje. Ze keken allemaal verschrikt op. Het was verboden met een brommer door het tuinpark te rijden.

Was de politie toch achter Amma's verblijfplaats gekomen? Door de dichte begroeiing en de uitbouw onder Joppies boomhut konden ze niets zien.

Moerad strekte zijn benen voor zich uit. Plof! Plotseling lag hij op de grond. 'Au!' riep hij boos. 'Wie deed dat?'

De ligstoel was ingeklapt en lag plat onder Moerad.

'Dat heb je ervan als je de luie stoel voor jezelf inpikt,' zei Josie.

Moerad krabbelde met een pijnlijk vertrokken gezicht overeind. 'Wat is dit voor een rotstoel?' zei hij. Hij gaf een trap tegen de stoelleuning.

'Je hebt aan het onderstel gezeten,' zei Joppie. 'Toen is de rugleuning eruit gewipt, kijk maar.'

'Ik zal jou eruit wippen,' gromde Moerad. Hij zette de gevaarlijke stoel in elkaar en ging heel voorzichtig weer zitten.

'Wat zeggen tante Mina en oom Bob tegen de journalist van de krant?' vroeg Josie.

'Die zeggen: "geen commentaar",' zei Peter. 'Maar op pagina vier gaat het verhaal over Amma verder. En deze verslaggever is zo slim geweest om Fred te ondervragen:

Het pleegbroertje van Amma verklaart dat het meisje twee jaar geleden bij hen in huis is gekomen en toen heel angstig was. 'Ze is veel vrolijker geworden,' zei hij. 'We missen haar vreselijk.'

'Goed zo, Fred,' zei Peter. 'Maar wat moeten we nu doen?'

Dat wisten ze geen van allen.

En toen klonk er een knal.

'Kofi!' riep Peter. 'Waarom heb je...' Hij hield verbaasd zijn mond.

Er kwam een man op hen af, met een brommerhelm in zijn ene hand. In zijn andere hand had hij een pistool.

Hij droeg een ribfluwelen broek en een geruit jasje. Zijn mond stond grimmig en vastberaden, alsof hij niet zou aarzelen te schieten als hij dat nodig vond.

Moerad herkende hem meteen. Het was de man van de ijssalon, dezelfde waarschijnlijk die Amma bang had gemaakt bij het tuinhekje, en die later uit het tuinpark was ontsnapt.

Peter zag dat hij gemene, sluwe ogen had. Maar misschien zag iedereen die met een pistool op je af-kwam er wel gemeen uit.

Wat stom dat we nu net Woelf niet bij ons hebben, dacht Yoe Lan. Dan had die ons gewaarschuwd. Maar natuurlijk was het geen toeval. De man had met opzet gewacht tot Woelf er niet bij was!

De helm werd achteloos in het gras gesmeten.

Josie keek recht in de loop van het pistool. Wat raar, dacht ze. In een seconde kan ik dood zijn. Wat een gek gevoel. Ze dacht niet dat ze bang was. Haar lichaam voelde koud en hard aan.

'Waar is dat koffertje?' vroeg de man dreigend. Hij had net zo'n accent als de motorman op de dijk, maar veel lichter.

Niemand antwoordde.

Yoe Lan drukte Amma tegen zich aan.

Peter dacht ineens aan de doosjes met diamanten in

zijn broekzak. In de opwinding over de krant was hij helemaal vergeten tegen de anderen te zeggen dat hij Dora en Kofi had gebeld.

'Amma,' zei de man, 'ik zag jou op de tv met jouw koffertje. Ga dat ding pakken nou.'

'Toe maar, Amma,' zei Peter.

'Ik pak het koffertje wel,' zei Moerad. Een mes, dacht hij. Binnen in de keuken ligt wel een mes.

'Jij blijft hier,' zei de man. Hij richtte zijn pistool op Moerad. 'Ik zei: Amma. Alleen Amma.'

Amma stond op en liep huilend naar binnen.

Josie dacht aan kikkers. Misschien omdat ze zelf koud was, vanbinnen en vanbuiten bevroren. Kikkers konden zomaar opspringen, helemaal uit stilstand, en dan kwamen ze wel een halve meter omhoog en voor- uit. Maar Josie had geen kikkerpoten, geen kikkerbil- len, geen kikkerspieren.

Amma kwam terug. Ze keek met bange ogen naar het pistool, maar ze klemde het koffertje vastberaden tegen zich aan.

'Waarom wilt u dat koffertje?' vroeg Peter. 'Er zit niks belangrijks in.'

Als hij de diamanten nu meteen gaf, ging de man misschien gewoon weg. Maar hoe moest het dan met Kofi? Het waren zijn diamanten. Het ging om zijn le- ven. Kofi had de diamanten nodig om valse papieren te kopen, een paspoort en een verblijfsvergunning.

Tijdrekken, dacht Peter.

'Geef hem je koffertje, Amma,' zei hij. 'Je krijgt het weer terug.' Hij hoopte dat het waar was.

De man pakte het koffertje met één hand aan. Hij

hield het pistool op hen gericht. 'Maak het open,' zei hij tegen Amma.

Amma huilde niet meer. Ze stond heel stil, vlak naast de man, en maakte haar koffertje open. Ze haalde haar schetsboek en andere spulletjes eruit en hield toen het koffertje op zijn kop. 'Leeg,' zei ze.

De man haalde een mes uit zijn zak.

Amma deed een grote stap achteruit.

'Snij het koffertje open,' zei hij.

'Dat kan ze niet,' zei Moerad, 'laat mij het doen.'

De man lachte even een beetje spottend. 'Nee,' zei hij.

Amma zou liever doodgaan, dacht Peter, dan haar koffertje kapot te maken. 'Amma,' zei hij, 'laat het geheime vakje zien.'

Amma trok het geheime vakje open. 'Het is leeg,' zei ze.

'Zo,' zei de man langzaam. Hij richtte de loop van zijn pistool op Peter. 'Jij vertelt mij nu gauw waar de diamanten zijn.'

Josie maakte een keelgeluidje.

Moerad keek naar haar.

'Zak door je stoel,' zei Josie zonder geluid te maken.

Moerad haalde zijn wenkbrauwen op. Toen knikte hij. Hij voelde waar het houten onderstel op de richel rustte.

Peter stak zijn hand in zijn broekzak om de diamanten tevoorschijn te halen.

Plof! Moerad zakte met een klap door zijn stoel. 'Au!' riep hij.

Heel even keek de man opzij.

Josie sprong. Ze haalde uit met haar linkervoet en trapte het pistool uit de hand van de man.

Jammer, dacht Josie toen ze nogal onzacht op het grasveld neerkwam. Het was haar bedoeling geweest om het pistool weg te trappen, dan in de lucht een halve draai te maken en boven op de indringer neer te komen. Het was maar half gelukt.

Niemand is volmaakt, dacht Josie berustend. Uit een ooghoek zag ze hoe Peter en Moerad de man in bedwang hielden.

Yoe Lan hield de snikkende Amma vast.

Joppie sloeg met een hark op het hoofd van de vijand, en af en toe op het hoofd van een vriend.

Josie kwam overeind. 'Haal eens touw, Joppie.'

Joppie rende naar binnen. Hij kwam terug met een grote kluwen oranje bindtouw. Ze bonden de man vast aan een boom.

Yoe Lan liet Amma los en liep naar het pistool toe. Ze pakte het voorzichtig op en liep ermee naar de achterkant van het huisje.

Met een zwaai gooide ze het ding in de sloot. 'Jij moet daar met je pootjes van afblijven,' zei ze tegen een langszwemmende eend. 'Dat is geen speelgoed voor vogels.' Toen liep ze terug naar het terras.

De gevaarlijke aanvaller was opeens meer een miezerig mannetje, en zag er eigenlijk vooral moe uit. Moe en een beetje triest, dacht Josie. Ze was gewend haar tegenstanders na de judowedstrijd te groeten. En het was absoluut tegen de spelregels van de vechtsport om na afloop je partner vast te binden met raffiatouw.

'Waar heb jij zo'n plezier om?' vroeg Moerad.

'Ik lachte niet om jou,' zei Josie. 'Hoewel... Als ik eraan denk hoe mooi je daar plat op je rug lag...'

'Vandaag mag je me pesten zoveel je wilt,' zei Moerad. 'Wat een prachtige sprongen kun jij maken, zeg! Was dat karate?'

'Dat was een kikkersprong,' zei Josie.

'Waar is dat pistool gebleven?' vroeg Peter.

'Ik heb het in de sloot gegooid,' zei Yoe Lan. 'Ik was bang dat jullie ermee gingen schieten.'

'Doe niet zo gek,' zei Josie.

'Nou,' zei Moerad, 'mijn handen jeuken.'

Yoe Lan keek naar Moerads handen. Misschien had hij zich geprikt aan een brandnetel. Maar hij krabde niet.

'Dat betekent dat hij die vent wel zou kunnen villen,' legde Josie uit.

Yoe Lan keek nog verbaasder dan eerst.

'Wat moeten we dan met hem beginnen?' vroeg Josie.

Ze keken elkaar aan. Jaap bellen, of iemand anders van de politie, betekende dat ze Amma kwijt zouden raken. En wat zou er dan met haar gebeuren? Mevrouw Roolvink van de jeugdzorg vertrouwden ze geen van allen.

Peter liep naar de spichtige man toe, die noodgedwongen tegen de boom leunde.

'Zo,' zei hij. 'Vertelt u... vertel nu maar eens wat je

119

hier komt doen.' Je hoefde geen u te zeggen tegen iemand die je met een pistool bedreigd had.

De man antwoordde niet.

'Waarom volg je ons overal?' vroeg Moerad.

Geen reactie.

'Dan halen we het bevoegd gezag erbij,' zei Peter. Hij vermeed het woord 'politie' vanwege Amma.

'Dat is niet nodig,' zei een zware stem.

Op het paadje naast Joppies woonboom stond Kofi.

Ze hadden hem niet horen aankomen.

Josie zuchtte van opluchting. Misschien was Kofi een dief, of een diamantsmokkelaar, maar ze had toch het gevoel dat hij aan hun kant stond. En hij was groot en sterk.

Kofi kwam met grote stappen de tuin in. 'Wel wel,' zei hij. 'Als dat Manie Marais niet is.'

Amma rende naar Kofi toe. Ze sloeg haar armen om zijn knieën en begon te huilen.

'Is dit de opzichter van de mijn?' vroeg Peter.

Kofi knikte.

'Hij wil niks zeggen,' zei Peter. 'Hij kwam de tuin in met een pistool.'

Kofi keek zoekend om zich heen.

'Ik heb het pistool in de sloot gegooid!' zei Yoe Lan.

Kofi glimlachte naar haar. 'Goed van jou,' zei hij. Toen ging hij vlak voor Manie staan.

'Niet slaan!' riep Yoe Lan angstig.

'Nee,' zei Moerad, 'alleen schoppen. Flink hard.'

'Ik kan het niet helpen,' zei Manie tegen Kofi. 'I am sorry, really.'

'Wat kom je hier doen?' vroeg Kofi. 'Waarom bedreig je deze kinderen?'

'Ik moest het koffertje met diamanten terugbrengen naar Ghana. Anders zou ik zelf gestraft worden.'

'Gestraft waarvoor?'

'Ik had diamanten gestolen uit de mijn, dat deden we allemaal, you know. Kerneel Kotze heeft me betrapt.'

'Hij is zelf een dief,' zei Kofi bitter. Hij balde zijn vuisten en wendde zich af.

Ja, dacht Josie. Kerneel Kotze heeft diamanten weggenomen en de vrouw van Kofi afgepakt. Geen wonder dat Kofi hem haat.

Kofi had zichzelf weer in bedwang. 'Waarom ben je me gevolgd?'

'Toen jij verdwenen was heeft Kotze me bedreigd. Ik moest het koffertje met diamanten terugbrengen of hij zou me aangeven bij de directie van DeLeeuw. Dan zou ik nooit meer een baan kunnen vinden bij de mijnen.'

'Hoe wist hij van het koffertje?' vroeg Kofi.

'Van Kwamina,' zei Manie.

Kofi zuchtte.

'Ik zag je in het vliegtuig,' zei Manie. 'Ik was van plan je op Schiphol te volgen. Maar de marechaussee nam je mee. Ik heb gezien hoe ze jou oppakten en ook dat er iemand kwam die het meisje meenam. En toen zag ik dat zij jouw koffertje droeg.'

'Maar dat was twee jaar geleden,' zei Peter.

'Ik heb familie hier,' zei Manie. 'Ik heb gewacht tot ze Kofi vrijlieten. Ik heb gewerkt en de taal geleerd. En toen bofte ik.' Manie keek naar Amma. 'Het verhaal van dat meisje stond vorige week in de krant. Dat ze door de politie van school was gehaald, en naar een ander pleeggezin gebracht. Ik dacht al dat ik haar herkende. En toen kwam ze op tv, met jouw koffertje in haar hand. De rest was makkelijk.'

Kofi stond op en wenkte Peter. Ze liepen samen het huisje in. 'Heb je de diamanten?' vroeg hij.

Peter gaf hem de twee doosjes.

'Als je de politie belt,' zei Kofi, 'dan zal Manie gaan praten. Dan pakken ze mij ook op.'

'Maar is hij niet gevaarlijk?'

Kofi schudde zijn hoofd. 'Zijn verhaal lijkt te kloppen. En Manie is nooit de kwaadste geweest. Kotze, dat is de grote schurk.'

'Maar wat moeten we dan met hem doen?' vroeg Peter.

'Wacht voor de zekerheid tot ik een eind weg ben en laat hem dan los. Hij gaat terug naar Ghana en je ziet hem nooit meer terug.'

'Er is nog een man,' zei Peter. 'De man op de motor die achter Amma aan zat.'

'Misschien heeft Kerneel iemand anders gestuurd,' zei Kofi. 'Toen Manie heeft doorgegeven dat hij wist waar de diamanten waren. Maar als Manie hem vertelt dat hij de diamanten in zijn bezit heeft dan roept Kotze die andere kerel wel terug.'

'Ik weet het niet,' zei Peter aarzelend.

Kofi knikte. 'Je hebt gelijk. Het is veiliger als je de politie erbij haalt. Maar wil je er één dag mee wachten? Dan ben ik wel over de grens. En over een paar dagen ben ik Europa uit.'

Een dag wachten. Dat was ook beter voor Amma,

dacht Peter. Als ze voor haar een oplossing hadden gevonden konden ze Jaap bellen.

Kofi stopte één doosje diamanten weg en liep met het andere naar buiten. Hij legde het voor Manie neer.

'Hier,' zei hij. 'Dit zijn de diamanten. Jij belt zo meteen naar Ghana dat je ze mij hebt afgepakt. Dan laten ze de kinderen met rust. En ons ook.'

'En jij?' vroeg Manie. 'Wat ga jij doen?'

'Dat gaat je niks aan,' zei Kofi, 'maar als je het weten wilt, ik hou een paar stenen voor mezelf om papieren te laten maken en dat soort dingen. Ik wil nooit meer terug.'

Hij omhelsde Amma, groette de anderen en wandelde toen rustig het tuinpaadje af, alsof hij niet in zijn broekzak voor een kapitaal aan stenen had die een biljoen jaar onder de grond hadden gezeten.

'Nog één ding,' zei Peter tegen Manie. 'Wie weten er nog meer van die diamanten en dat koffertje?'

'Mijn vrouw,' zei Manie. 'In Ghana. En Kerneel Kotze natuurlijk. Ik hield hem op de hoogte.'

'Ben je alleen hier of heb je iemand bij je?'

'Ik ben alleen,' zei Manie.

Peter keek hem aan. Het leek er wel op dat Manie de waarheid sprak, maar toch klopte er iets niet. Hij leek ergens bang voor te zijn.

'We moeten naar huis,' zei Moerad. 'Anders komen we te laat voor het avondeten.'

Josie keek op haar horloge. 'We hebben nog wel even tijd, tenzij jij omkomt van de honger natuurlijk.'

'Ik heb Kofi beloofd dat we hem een voorsprong

geven,' zei Peter. Hij keek niet al te vriendelijk naar Manie. 'Voor het geval deze meneer hier toch achter hem en de andere diamanten aan gaat.'

'Dat doe ik niet,' zei Manie.

'Voor het geval dat,' herhaalde Peter.

'Dan ga ik theezetten,' zei Moerad. 'En de koektrommel zoeken. Vind je dat goed, Joppie?'

Joppie kwam overeind.

'Ik vind het wel,' zei Moerad.

'Eten en drinken kan Moerad overal vandaan toveren,' zei Josie. 'Dat kun je gerust aan hem overlaten.'

Moerad liep naar binnen.

'Zullen we Manie dan maar losmaken?' stelde Peter na een tijdje voor. 'Dan kunnen we naar huis. Ik denk...'

'Jij moe nie denk nie,' zei een bekende stem.

Het was Zwarthelm, de motorman. Hij stond wijd-
beens op het grasveld, met zijn helm nog op en een
automatisch pistool in zijn gehandschoende hand.

'So Manie,' zei Zwarthelm spottend. 'Is jij bezig om
kinders op te pas?' Hij had het vizier van zijn helm
omhooggeschoven. Zijn gezicht was gebruind, en zijn
blauwe ogen keken spottend naar de man die met raffiatouw aan de boom vastzat.

'Ek het... Ik heb...' stotterde Manie.

Maar Zwarthelm lette niet meer op hem. Hij keek
de kring van bleke, zwijgende kinderen rond. Toen hij
bij Joppie was beland fronste hij even zijn wenkbrauwen. Toen zwaaide hij met zijn pistool als teken dat ze
allemaal bij elkaar moesten gaan staan.

Yoe Lan dacht aan Chinese poppetjes, ze kon er
niets aan doen. Van die holle houten beeldjes met
grappige gezichtjes. Als je ze openmaakte zat er nog
een poppetje in, en nog een. Of waren het Russische
poppetjes? Maar die poppetjes werden steeds kleiner,
en de mannen die hier tevoorschijn kwamen werden
telkens groter. Ze keek naar de grond. Ze durfde niet
naar de man te kijken die Woelf zo'n gemene trap had
gegeven.

'Ek het die diamante,' zei Manie angstig. Hij wees
met zijn spitse kin naar het kokertje dat voor hem lag.

Zwarthelm keek spottend naar de buit. 'Denk jij, ek het van Ghana af gevlieg vir so'n paar steentjies?' Hij zwaaide zijn pistool heen en weer voor Peters gezicht. 'Maak die babawagter los.'

Peter gehoorzaamde en bevrijdde de 'babysitter'. Hij dacht intussen koortsachtig na. Deze man was helemaal uit Ghana komen vliegen, en hij had geprobeerd Amma te kidnappen, maar niet voor die 'paar steentjes'. Waarvoor dan wel?

'Weg wees, man,' zei Zwarthelm tegen Manie. 'Ek kan jou nie hier gebruik nie.'

Manie Marais krabbelde overeind en sloeg wat grassprietjes van zijn broek.

'Trouwens, dankie vir jou oproep. Jij kan nou teruggaan Ghana toe. Jou vrou wag vir jou.'

Manie raapte de diamanten op en maakte zich uit de voeten.

Hier snap ik niks van, dacht Josie. Ging het toch om Amma en niet om de diamanten? Wat wilde deze man van het meisje?

Zwarthelm had alle belangstelling voor Manie Marais verloren. Hij keek de kinderen om de beurt vuil aan. 'So, die vier nieuwskierige agies.' Hij lachte gemeen naar Yoe Lan. 'Sonder jou hond, natuurlijk!'

Gelukkig maar, dacht Yoe Lan. Tegen deze man kon zelfs Woelf niet op. Niet als hij zijn pistool gebruikte. Bang zag ze hoe Zwarthelm een stap in de richting van Amma deed.

'En daar is die klein *bitch*!'

Amma kroop in elkaar en probeerde zich achter het koffertje te verstoppen.

'Ek het haar bijna beetgehad, maar toen spring sij in een bus.' Zijn harde ogen zagen er nog enger uit dan de loop van zijn pistool.

Dit is geen kleine diamantdief, dacht Peter. Hij heeft Amma achtervolgd. Als ze niet in een bus was gesprongen had hij haar te pakken gekregen. En dan? Deze man gaat over lijken. Maar hij kon niks bedenken om hem uit te schakelen.

'Gelukkig het julle haar vir mij teruggekrij,' zei Zwarthelm tegen Joppie, terwijl hij hem nog eens goed opnam. 'Ek is julle eeuwig dankbaar!' Toen wenkte hij Amma. 'Hier jij!'

Het meisje was te bang om te protesteren. Ze klemde haar koffertje nog steviger vast en liep langzaam naar de man toe.

Die verloor de andere kinderen geen ogenblik uit het oog. 'Trek aan die handvatsel van jou koffertjie,' zei hij tegen Amma.

Amma deed haar ogen dicht en trok.

'Harder!' zei Zwarthelm.

'Laat mij het doen,' zei Josie. Ze wachtte niet op antwoord, maar stapte naar voren en pakte het koffertje uit Amma's handen. Tegelijk duwde ze het meisje met haar knie opzij, zodat ze buiten bereik van de overvaller kwam.

Amma rende terug naar de andere kinderen.

Zwarthelm gaf een venijnige tik met het pistool tegen Josies hoofd. 'Ek geef hier die bevele,' snauwde hij. 'Trek daardie handvatsel los.'

Josie kon even niets zien door de tranen van pijn die in haar ogen sprongen. Maar ze verbeet zich. Ze had wel hardere dreunen gehad.

Ze rukte aan het hengsel van het koffertje. Het zat goed vast. Ze bekeek het van dichtbij. Iemand had het stiksel losgehaald en het handvat daarna met dik rood garen vastgezet. Ze trok nog eens. Het hengsel schoot los. Uit de holle buis rolde een diamant zo groot als een flinke knikker.

'Goed so,' zei Zwarthelm. 'Nou buk jij en jij til daardie ding mooi vir mij op.'

Josie deed wat hij zei.

'Sit hom in mij jassak.' Hij hield zijn pistool nog steeds op de kinderen gericht.

Josie liet de diamant in de jaszak glijden en draaide zich om om weg te lopen.

'Blij hier,' snauwde Zwarthelm. 'En as een van julle iets probeer...' Hij richtte op Josies hoofd.

Peter hield zich met moeite in. Hij mocht Josie niet in gevaar brengen, maar anders...

Het leek bijna of Zwarthelm Peters gedachten kon raden. Hij keek hem ijzig aan. 'Ek is blij dat julle so'n mooi touw vir mij gebring het.'

Hij knikte naar de rol bindtouw die nog op het gras lag.

'Nou bind jij eers al jouw vriendjies netjes vas.'

Slim, dacht Peter. Dan heeft hij alleen mij nog over. Eén flinke klap en ik ben ook uitgeschakeld. Maar zover is het nog niet. Ik kan best iets verzinnen.

Maar Zwarthelm kon beslist gedachten lezen. 'As jij iets probeer aanvang, krij jij een mooi ronde gaatjie in jou kop. Jij, en hierdie liewe meisietjie.'

Het 'lieve meisje' voelde zich helemaal niet lief. Josie wenste dat ze zelf een pistool had, of desnoods een flinke knuppel. Iets, in elk geval. Maar ze had alleen haar blote handen. Kleine handen, dat ook nog.

Peter begon met vastbinden. Joppie eerst. Amma en Yoe Lan liet hij nog maar even met rust. Die waren zo al bang genoeg. Hij legde zijn ene hand op Joppies rug en bond het touw eromheen. Zo opvallend mogelijk trok hij het aan de voorkant strak om Joppies armen.

Intussen probeerde hij na te denken. Het was nu duidelijk waarom Zwarthelm achter Amma aan zat. En Kofi had niets van de diamant in het hengsel geweten, daar was Peter blij om.

Er was iets vreemds aan de hand met die diamant. De stenen uit de mijn waren ruwe, doffe diamanten. En de kleine schitterende diamanten, die waren ergens geslepen. In India, had Kofi gezegd. Maar waar kwam dit reuzenexemplaar vandaan?

Josie stond stokstijf naast Zwarthelm. Kalm blijven, dacht ze. Hij heeft er geen belang bij op ons te schieten. Het maakt lawaai, en een moordenaar ontsnapt minder makkelijk dan een dief.

Ze hoopte maar dat Peter opschoot. Hoe eerder de man vertrokken was hoe beter. Het was jammer dat ze zo'n ellendeling moesten laten gaan, maar hij was iets te gevaarlijk. Vooral omdat ze juist vandaag een bende zonder zwarte hond waren.

Er was maar één persoon die de diamant in het hengsel had kunnen stoppen. Dat was Kofi's vrouw. En er was maar één persoon die het kon weten. De man die hen hier onder schot hield was de andere opzichter van de diamantmijn, Kerneel Kotze.

Josie keek naar een winterkoninkje dat plotseling opvloog uit de hoge heg. Het was vast ergens van geschrokken, want meestal lieten ze zich niet zien. Misschien zat er een kat in de buurtuin.

Ze kneep haar ogen een beetje dicht om beter te kunnen zien. Als er een kat in de heg zat was het wel een rare kat. Hij droeg een witte boord. En op het moment dat Josie hem in de gaten kreeg legde hij een vinger op zijn lippen.

Politie. In burger. Hoe kwam die nou hier? Ze hadden Jaap toch niet gewaarschuwd? Toen begreep ze het. Moerad had natuurlijk alarm geslagen toen hij de overvaller gezien had. Hij was binnen in het huisje om thee te zetten; Kerneel Kotze had hem niet gemist. Hij had de kinderen alleen maar geteld, en gedacht dat Joppie Moerad was.

Wat nu? Het gezicht in de heg maakte een beweging opzij. Een klein knikje. Josie begreep het. Ze moest maken dat ze uit de buurt van Kotze kwam. Als hij haar vast zou pakken had hij een gijzelaar, een menselijk schild om zich te beschermen tegen politiekogels.

Maar hoe moest ze uit zijn buurt komen? En als de politie tevoorschijn kwam, zou Kerneel dan niet op de anderen schieten? Daar was de politie ook bang voor natuurlijk. Kerneel zou het waarschijnlijk niet doen, maar zeker wist je het niet. Een kat in het nauw maakt rare sprongen.

Ze draaide alleen haar ogen naar de heg. De politieman had zeker begrepen dat ze niet opzij kon gaan.

Hij wees met zijn vinger naar de grond en daarna met zijn vlakke hand. Toen stak hij om beurten drie vingers omhoog. Dat betekende dat ze zich moest laten vallen als hij tot drie telde. Maar de anderen dan?

Ze moest Kerneel afleiden, en Peter waarschuwen. Haar hart bonsde in haar keel. Maar ze had geen keus. Ze kuchte.

Kerneel keek even opzij maar verloor zijn waakzaamheid niet.

'Zeg Kerneel,' zei ze op vriendelijke toon.

Kerneel keek heel even verbaasd. 'Hoe weet jij mij naam?' vroeg hij.

Josie lachte lief naar hem. Uit haar ooghoeken zag ze dat Peter opkeek van zijn werkje. Heel vlug maakte ze het teken van 'laat je vallen' en toen telde ze met haar vingers tot drie.

Peter knikte. Hij mat met zijn ogen de afstand tussen hem, Amma en Yoe Lan.

'Jammer jij weet wat mij naam is,' zei Kerneel. 'En nou weet julle dit almal, nè? Dit is jammer vir julle. Want nou kan ek julle nie laat gaan nie.'

Josie slikte. Daar had ze niet aan gedacht. Natuurlijk kon Kerneel hen niet in leven laten als ze zijn naam wisten. Het was erop of eronder. Ze keek opzij en knipperde met haar ogen, als teken dat ze wist wat ze moest doen.

De agent in de heg stak zijn duim op en daarna zijn wijsvinger.

Josie deed hetzelfde.

De middelvinger kwam omhoog.

'Nu!' schreeuwde Josie. Ze liet zich vallen.

Peter smakte Joppie tegen de grond, maakte een snoekduik naar Yoe Lan en Amma, en gooide ze allebei tegelijk omver.

Er klonk een schot.

De kogel had niemand geraakt, zagen ze toen ze opkeken. Kerneel Kotze lag op de grond, in bedwang gehouden door twee agenten in burger, en van alle kanten kwamen er politiemannen in uniform aanrennen.

Yoe Lan hield een trillende Amma in haar armen. 'Lieve politie,' zei ze telkens zachtjes. 'Deze politie helpt ons, zie je wel?' Maar Amma hield haar handen voor haar ogen en huilde.

Moerad kwam het huisje uit. Hij droeg een blad met kopjes en een theepot. 'Terwijl het theewater opstond heb ik Jaap maar even gebeld en hem gevraagd om te komen,' zei hij. 'Dat was toch wel goed?' Hij keek naar de massa mensen op het grasveld. 'Ik geloof nooit dat ik genoeg thee heb gezet,' zei hij bezorgd.

Jaap fouilleerde Kerneel en haalde de diamant uit de zak van zijn motorjas.

'Als ik het niet dacht,' zei hij. Hij hield de diamant omhoog. 'Gestolen van Kohns diamanten op het Museumplein.'

Er kwam gegrom uit Kerneels keel.

De inspecteur lachte. 'Ja, daar kijk je van op, hè vriend? Dat we dat weten.'

'Hij is onze vriend niet,' zei Yoe Lan voor de zekerheid.

'Dag Yoe Lan,' zei Jaap. 'Ben je boeven aan het vangen zonder je trouwe hond? Hoe heet dat dappere beest ook weer?'

'Woelf,' zei Yoe Lan trots.

'En daar zijn jullie allemaal,' zei Jaap. 'Plus twee.' Hij keek even naar Joppie en toen wat langer naar Amma, die niet meer huilde maar heel stil tegen Yoe Lan aan zat.

'Dat zijn vrienden van ons van het volkstuinpark,' zei Josie vlug. Ze stond op om een koekje te pakken uit de trommel die Moerad op het gras had gezet, en ging toen voor Amma zitten, zodat Jaap haar niet zo goed meer kon zien.

Maar Jaap leek niet meer op Amma te letten. 'Zeg Josie,' zei hij, 'zulke mensen als jij kan de politie heel goed gebruiken, hoor! Alle mensen, wat een koelbloedigheid.'

Josie werd rood. Ze zei niks.

'Ze heeft echt koud bloed,' zei Yoe Lan, 'want zo net heeft ze een kikkersprong gemaakt!'

'O ja?' vroeg Jaap. 'Waarom was dat?'

Toen besefte Yoe Lan dat ze alweer bijna haar mond voorbij had gepraat. Want over Manie en Kofi wist de politie nog niks.

'We deden kunstjes,' zei ze zacht.

'Zo, zo,' zei Jaap. 'En Moerad, wanneer kom jíj bij de politie?'

'Als ik mijn school heb afgemaakt,' zei Moerad. 'Wil je ook thee?'

Hij schonk voor iedereen thee in.

'Hoe is die diamant gestolen?' vroeg Moerad.

'Aha,' zei Jaap, 'je begint het vak al te leren. Goed zo.'

Moerad lachte een beetje verlegen.

'Bij die diamantslijperij houden ze rondleidingen,' zei Jaap. 'Deze diamant is een van de pronkstukken van de collectie. Oorspronkelijk komt hij uit Zuid-Afrika.'

'Daar komt Kerneel ook vandaan,' zei Peter.

'Zo?' zei Jaap. 'Hoe weet je dat? Weten jullie meer van deze zaak? Moerad had geen tijd me alles uit te leggen.'

'Nee, we weten er niks van,' zei Peter vlug. Ze konden Jaap niet alles vertellen. Niet zolang Amma nog bij hen was, en Kofi onderweg was naar een veilige plek. 'Ik hoor het aan hoe hij praat. Hij spreekt Afrikaans.'

'Knap van je,' zei Jaap. 'Hoe dan ook, tijdens zo'n rondleiding, drie jaar geleden, was er iets mis met de beveiliging in diamantslijperij Kohn. Maar hoe dat precies zat is geheime informatie.' Hij keek plagend naar Moerad. 'Daar zul je pas meer over horen als je op de politieacademie zit.'

Moerad gaf het niet zo snel op. 'Maar hoe kwam die diamant dan in Ghana terecht?'

'Aha,' zei Jaap. 'Dat gaan we straks eens aan deze meneer hier vragen. We verdachten Kotze al een tijdje. Hij is een bekende diamantsmokkelaar. Hij heeft de steen vermoedelijk drie jaar geleden meegenomen naar Ghana. Misschien was hij van plan hem ergens te laten splijten. Zo'n grote steen kun je niet makkelijk verkopen. Kennelijk heeft hij hem tijdelijk in dit koffertje verstopt. Misschien wilde hij ermee naar Zuid-Afrika. En toen is de diamant per ongeluk weer teruggereisd naar hier.' Jaap keek de kinderen om de beurt aan. 'Enig idee hoe dat zit?'

'Die diamant had zeker heimwee,' zei Moerad.

Ze lachten allemaal, behalve Kerneel en Amma.

Jaap bekeek de diamant nog eens nauwkeurig. 'Geen twijfel aan, dames en heren. Terug van weg geweest. De Kaapse Kanjer!'

Het was dinsdagavond. Peter, Josie, Moerad en Yoe Lan kwamen bij elkaar op Peters kamer. Roel had hun ten strengste verboden die avond 'het pand te verlaten', zoals hij het noemde. En de volgende dag moesten ze meteen uit school naar huis komen. 'En daar blijven,' zei hij nadrukkelijk. 'Alle vier.'

Het was geen wonder dat hij zo streng deed. Natuurlijk hadden ze 's maandags het avondeten in Huize Boegbeeld gemist. Toen de politie met Kerneel vertrokken was, had Jaap de huisvader gebeld. Hij had uitvoerig moeten uitleggen waarom de kinderen nog niet thuis waren.

'Echt uitleggen kun je het niet noemen,' zei Jaap toen het gesprek eindelijk afgelopen was. 'Daar zou ik een heel boekwerk voor nodig hebben. Maar ik heb in het kort verteld wat er gebeurd is, en gezegd dat ik jullie te eten zou geven en jullie dan snel naar huis zou sturen.'

'Te eten geven?' vroeg Moerad.

'Ik heb nog wel een pakje brood bij me,' zei Jaap. 'Zou dat genoeg zijn?'

'Ja hoor,' zei Moerad beleefd. Maar hij keek wel een beetje sip.

'Je hebt toch niet liever een pizza?' vroeg Jaap met een onnozel gezicht.

137

Ze gingen naar de Pizza Expres, waar ze in sneltreinvaart elk een reusachtige pizza naar binnen werkten, en Peter heel in het kort aan Jaap vertelde wat er gebeurd was. Op de fiets had hij de anderen gewaarschuwd. 'Laat mij het woord doen straks. Als we onze mond voorbijpraten loopt het niet goed af met Amma en Kofi.'

Het was lastig om Jaap niet meer dan de helft van het verhaal te vertellen, maar hij had er onderweg naar de pizzeria over nagedacht.

Amma en Joppie waren in het tuinpark gebleven. Lisette was thuisgekomen met twee volle boodschappentassen, en daar had ze niet voor niets mee gesjouwd, zei ze.

'Dat meisje, Amma, komt me bekend voor,' zei Jaap na het eten. 'Woont ze ook op het tuinpark?'

Niemand zei iets. Yoe Lan deed haar mond open om antwoord te geven, maar ving net op tijd de waarschuwende blik van Josie op.

Jaap keek onderzoekend naar de zwijgende gezichten om hem heen. 'We moeten binnenkort maar even bij elkaar komen,' zei hij, 'zodat ik iets uitgebreider kan horen wat er gebeurd is. Voor mijn proces-verbaal. Maar nu moeten jullie als de bliksem naar huis, voordat de huisvader alarm slaat.'

Opgelucht stonden ze op. Maar ze waren nog niet van Jaap af.

'Ik heb dat meisje pas nog ergens gezien,' zei Jaap. 'Op de televisie of zoiets. Maar nu heb ik mijn handen vol aan deze diamantzaak. Misschien dat het me later te binnen schiet. Woensdag of donderdag of zo.'

138

'Dat zal vast wel,' zei Peter. 'Woensdag of donderdag. Ik ben heel benieuwd.' Hij zuchtte van opluchting. Ze hadden twee dagen de tijd. Lisette had aangeboden nog een dagje vrij te nemen om op Amma te passen. Peter had haar beloofd dat ze snel met een oplossing zouden komen. Al had hij geen idee hoe ze dat aan moesten pakken.

Gelukkig had Peter op dinsdag een laat rooster. Toen hij uit school kwam was *Het Stadsnieuws* al uit. 'Ik heb nog geen tijd gehad om te kijken,' zei Peter toen ze allemaal een plekje hadden gevonden om te zitten. Hij wees op het stapeltje kranten, ook die van maandag.

Ze begonnen de kranten door te bladeren. 'Moet je horen,' zei Peter. 'Hier heb ik iets.'

'CULTUURGEZIN HOUDT ERMEE OP. De dame die door de jeugdzorg was aangewezen om Amma op te nemen, het meisje dat enzovoort enzovoort, heeft verklaard dat ze Amma niet meer wil hebben. Het kind brulde de hele tijd en nu zijn de andere logeetjes ook onrustig geworden.'

'Ze lusten geen pap,' zei Moerad.

'En hier!' zei Josie. 'De pleegouders van de kleine Amma, het meisje dat vorige week enzovoort enzovoort, tante Mina en oom Bob dus, gaan een kort geding aanspannen om de voogdij over Amma te krijgen.'

'Wat is dat voor kort ding?' vroeg Yoe Lan.

'Een kort geding is als je naar de rechter gaat,' zei Peter. 'Dus tante Mina gaat naar de rechtbank om Amma terug te krijgen.'

'Er zijn kamervragen gesteld!' las Moerad.

'Dat is mooi,' zei Peter. 'Hoe meer aandacht, hoe beter.'

'Wat zijn...' begon Yoe Lan. Toen durfde ze niet meer. Ze voelde zich steeds dommer.

'Je hebt kamervragen en keukenvragen,' zei Josie. 'Dat betekent...'

'Hou jij je mond nou maar,' zei Peter.

Yoe Lan wilde dat ze veilig bij Woelf was. Ze had hem al een paar dagen niet gezien. Maandag was er geen tijd geweest hem op te halen, en vandaag moest ze meteen uit school naar huis. Woelf vond haar nooit dom.

'Kamervragen betekent dat het in de regering is besproken,' zei Peter. 'In de Tweede Kamer. De ministers en zo, begrijp je?'

Yoe Lan knikte maar.

'En hier staat iets over de jeugdzorg. Wacht even.' Peter begon mompelend te lezen. 'Dit is belangrijk. Een woordvoerder van de jeugdzorg, dus niet Roolvink, heeft verklaard dat het maanden duren kan voordat een nieuw *cultuurgezin* gevonden is, en dat Amma voorlopig terug kan naar haar pleeggezin, naar tante Mina en oom Bob dus. Als ze gevonden is.'

'O, ze mag terug!' zei Yoe Lan. Ze was al vergeten hoe dom ze zich voelde. Ze dacht aan het blije gezicht van Amma als ze haar tante Mina weer zag.

'Ja,' zei Peter, 'maar hoe krijgen we haar thuis? Misschien is er politie bij het huis van tante Mina. Wij hebben haar ontvoerd, tenslotte. Dus we kunnen haar niet gewoon daar afleveren. Dan worden we opgepakt.

Daar moeten we goed over nadenken.'

'Jaap?' vroeg Moerad.

'Wat hij zogenaamd niet weet hoeft hij niet te rapporteren,' zei Peter. 'Het is iets anders als we het hem regelrecht vertellen. Dan moet hij het doorgeven.'

'We brengen haar midden in de nacht thuis,' zei Josie opgewonden. 'Lekker spannend.'

'We denken erover na, zei ik,' zei Peter.

'Ja baas,' zei Moerad.

'Mijn kamer uit,' gromde Peter.

Hij bekeek zijn e-mail niet. Er was toch geen bericht van zijn moeder. Maar vanavond kon het Peter niet veel schelen. Als je zelf spannende avonturen beleeft gun je het een ander ook. Zijn moeder was gewoon het type niet, dacht hij, om een saaie baan te hebben of thuis te zitten en zich te vervelen. Ze wilde de wijde wereld in en dingen meemaken, net als hij. Eigenlijk was hij echt een zoon van zijn moeder. En daar ging het uiteindelijk om.

Hij maakte drie briefjes. *Geheim beraad op mijn kamer morgen na schooltijd* stond erop. Toen ging hij naar beneden, naar de huiskamer, om de boodschap ongemerkt aan de drie anderen over te brengen. Dat was nergens voor nodig, hij kon het gewoon bij het ontbijt doorgeven. Maar zo was het wel avontuurlijker. Hij grinnikte om zichzelf toen hij de trap af liep.

Woensdagavond laat slopen ze naar Peters kamer. Moerad had een pyjama over zijn kleren aangetrokken voor het geval hij iemand op de gang tegenkwam, Yoe Lan droeg er een kimono overheen en Josie had erop gegokt dat ze niemand tegen zou komen onderweg.

's Middags hadden ze vergaderd en nagedacht, en besloten om Josies plan uit te voeren. Amma zou 's nachts teruggaan naar huis.

Yoe Lan had niet meevergaderd. 's Middags moest ze een Chinese les inhalen, en daarna was ze stiekem even bij Woelf langsgegaan, 'om hem alles te vertellen wat er gebeurd was'. Ze had Roel beloofd meteen uit school thuis te komen, maar Woelf *was* haar thuis, had ze besloten. In elk geval een stukje thuis, en dus was ze eigenlijk niet ongehoorzaam.

Peter had Lisette gebeld. Zij zou Amma die nacht terugbrengen naar tante Mina. Dat wilden ze geen van allen missen. Zodra iedereen sliep zouden ze het internaat uit sluipen.

Er klonken voetstappen op de trap.

'O, mijn hemel, Vanessa heeft dienst!' zei Moerad. 'Dat is pech hebben.' Vanessa was de enige van de verzorgsters die avondcontrole hield als ze nachtdienst had.

'Onder mijn bed jullie!' siste Peter. In het stikdonker kropen ze met zijn drieën onder Peters bed.

'Au!' riep Josie hardop. 'Mijn hoofd, sufferd! Je ligt op mijn haar! Ga opzij!'

'Je bent zelf een sufferd!' zei Moerad iets te hard. 'En knijp niet zo.'

'Stil nou!' smeekte Yoe Lan.

Er werd geklopt en meteen ging de deur open. 'Lig je erin, Peter?' vroeg Vanessa. 'Ik hoorde allerlei rare geluiden uit je kamer komen.'

Josie, Moerad en Yoe Lan hielden hun adem in.

'Ja, ik lig erin,' zei Peter verontwaardigd. 'Ik slaap, als je het weten wilt. Nou ben ik klaarwakker.'

'Sorry, hoor.' Vanessa deed de deur dicht.

Ze kwamen tevoorschijn en gingen weer op het bed en de stoel zitten.

Toen het overal stil was in huis, en Vanessa naar haar kamertje op zolder was gegaan, slopen ze de trap af en naar buiten. Toen belden ze Lisette en pakten hun fietsen.

Ze ontmoetten elkaar op de hoek van de Huizinga-laan. Joppie was er ook bij. Amma was klaarwakker en wiebelde op de bagagedrager heen en weer van op-winding. Ze droeg een oud jasje van Joppie, en daar-onder het jurkje dat Yoe Lan haar gegeven had. Dat mocht ze houden, had Yoe Lan gezegd. Het was het mooiste jurkje dat Yoe Lan ooit gehad had, en ze had het jaren bewaard, maar het stond Amma zo mooi dat het vast voor haar bedoeld was.

Op de hoek van de Huizingalaan omhelsden ze Amma. Ze spraken af dat ze haar gauw zouden komen opzoeken. Zodra de kust veilig was, zei Peter. Als ze zeker wisten dat de politie niet meer op zoek was naar de Bende van de Zwarte Hond.

Even later stonden ze voor het huis van tante Mina. Er was geen verdachte beweging te zien, maar toch hielden ze zich voor alle zekerheid verborgen. Ze hadden tante Mina niet gewaarschuwd dat ze Amma kwamen brengen. Misschien zou ze zich verplicht voelen de politie of de jeugdzorg in te lichten.

'Ga maar, kindje,' zei Lisette zacht. Amma pakte haar koffertje op en liep de straat over. Op dit uur van de nacht waren er weinig auto's. Ze ging op haar tenen staan en drukte op de bel.

In het huis gingen lichten aan. Er keek iemand uit het raam van de eerste verdieping. Toen ging de buitendeur open. Oom Bob. Amma vloog op hem af en sloeg haar armen om zijn benen. Oom Bob keek verbaasd om zich heen.

Tante Mina verscheen achter hem in de deuropening. Ze duwde hem haastig opzij, tilde Amma op en droeg haar naar binnen.

'Dat was dat,' zei Peter. 'En nu vlug naar bed.'

Een uurtje later lagen ze allemaal te slapen.

Intussen was Manie Marais op weg naar Ghana en naar zijn vrouw. Hij had de diamanten met veel moeite op de zwarte markt verkocht, ver onder de prijs, omdat hij er niet mee durfde te reizen. Hij wist niet of hij gezocht werd, en hij keek angstig om zich heen toen hij door de douane heen kwam en op weg ging naar zijn vliegtuig.

Hij lette niet op waar hij liep en daardoor botste hij

tegen een mooie, elegante vrouw op, die juist op weg was naar de uitgang. Ze had een paar weken hard gewerkt aan een fotoshoot op de Canarische Eilanden, en nu was ze op weg naar haar zoon.

Manie Marais mompelde een excuus en liep door.

De vrouw raapte haar tas op, die bij de botsing op de grond was gevallen. Ze had de spichtige, schichtige man geen blik waardig gekeurd, want ze liep te kijken of er een sms'je voor haar was gekomen.

Ze hoopte op een berichtje van haar zoon. Hij had haar niet gemaild de afgelopen dagen.

Haar komst moest een verrassing voor hem zijn, en daarom had zij hem geen bericht gestuurd. Maar dat híj niets van zich liet horen was toch wel ongewoon. Haastig liep ze naar de taxistandplaats. Het was nu te laat om te bellen; ze zou hem morgen na schooltijd opwachten in Huize Boegbeeld.

Kerneel Kotze lag op een harde matras in de politiecel en bedacht dat hij altijd al een hekel aan kinderen had gehad.

Amma was in bed gekropen bij haar pleegzusje Jannie en droomde heerlijk van een grasveld vol bloeiende kleurpotloden.

Kofi was 's nachts te voet de grens overgestoken, omdat er misschien douane in de trein zou zijn. Hij had nog geen geldig paspoort, en ook had hij de diamanten bij zich. 's Morgens had hij de bus genomen. Nu reed hij Antwerpen binnen, een nieuw leven tegemoet.

Een heel eind daarvandaan, in zijn hok op de boerderij, blafte Woelf één keer. Welterusten allemaal, betekende dat. Toen ging hij liggen, gaapte en viel in een diepe slaap.

Lees ook het eerste avontuur van de
Bende van de Zwarte Hond.

Yoe Lan speelt bij een vriendin op de zolder boven een Chinees restaurant. Daar vindt ze, in een geheimzinnige kist, een mooi oud beeld. Op de kist staat *Rijksmuseum*. Zou het beeld gestolen zijn? En door wie dan? Dat willen Yoe Lan en haar vrienden Peter, Moerad en Josie wel eens uitzoeken.

Maar wat er dan gebeurt is nog veel geheimzinniger en gevaarlijker dan ze al dachten. Gelukkig krijgen ze hulp van hun dappere hond Woelf.

Uitgeverij Querido stelt alles in het werk om op milieuvriendelijke en duurzame wijze met natuurlijke bronnen om te gaan. Bij de productie van dit boek is gebruikgemaakt van papier dat het keurmerk van de Forest Stewardship Council (fsc) mag dragen. Bij dit papier is het zeker dat de productie niet tot bosvernietiging heeft geleid.